CW00591778

EMPATIA

Tre passaggi per raggiungere la felicità: guarigione, risveglio e potenziamento con strategie di vita per persone sensibili.

SOFIA SPINARBA

Sommario

INTRODUZIONE

Sai che se ti ritrovi a raccogliere i problemi delle altre persone, sei empatico. Sei triste quando sono tristi, quando sorridono, quando soffrono, sei contento. Può essere molto difficile capire i problemi da loro e rendere la vita molto frustrante come l'empatia.

Gli empatici fanno fluttuare i loro impulsi emotivi spontaneamente per abbinare quelli degli altri. Ti adatti all'energia con la loro quando qualcuno è triste, frustrato, ferito o felice di sentire come si sente. Molto spesso, questo viene fatto nel tentativo di alleviare la sofferenza di quella persona; per portare il loro peso su di loro. A volte nasce dalla convinzione che devi sentire che apprezza il dolore di una persona. Tuttavia, qualunque sia la causa, una lezione molto importante che tutta la compassione dovrebbe sapere è che per alleviarla non è necessario sentire o testimoniare la sofferenza di un altro.

Come puoi resistere all'abbinamento di coloro che ti circondano con le energie? Utilizzando la teoria del trascinamento. L'allenamento è caratterizzato come la tendenza di due corpi vibranti che si bloccano in fase e vibrano in armonia; così come la sincronizzazione di due o più cicli ritmici. Questa idea è universale e può essere vista nella maggior parte delle circostanze nella vita di tutti i giorni. Due cellule del muscolo cardiaco, ad esempio, possono sincronizzarsi nel tempo. I pendoli dell'orologio del nonno allineati contro un muro inizieranno a oscillare insieme. Anche le persone che vivono insieme da più di un mese avranno i loro cicli mestruali. Una corda di chitarra sintonizzata su una nota specifica può far vibrare un'altra corda di chitarra quando viene pizzicata, accordata sulla stessa nota ma tenuta a una certa distanza.

Possiamo anche vedere le dolorose manifestazioni di questo. Sei mai stato con qualcuno di umore particolarmente buono e ti sei anche sentito bene? O che ne dici del contrario in cui qualcuno era davvero triste o arrabbiato intorno a te e hai iniziato a sentirti allo stesso modo. Tendiamo a chiamarlo "contagioso".

Ok, questo stesso potere "contagioso" può essere usato per aiutarti a evitare di raccogliere i problemi di tutti gli altri. Se mantieni le tue energie più alte delle persone intorno a te, scoprirai che non ti immergi per raccogliere tristezza, rabbia, dolore, frustrazione, ecc. In realtà, scoprirai che inizieranno a adattarsi alla tua energia e sentiti meglio quando passi abbastanza tempo con queste persone! Allora come manterrai alte le tue energie? Puoi rimanere in uno stato d'animo sano, allegro e felice facendo tutto il possibile quando qualcuno con meno energia è vicino. Pensa a qualcuno che ami, conta le tue benedizioni, immagina di tenere in braccio un gattino o un cucciolo o un bambino, o semplicemente ricorda che la cosa migliore che puoi fare per quella persona è mantenere alte le tue energie piuttosto che abbassarle al loro livello. L'infelicità può amare la compagnia, ma avere una stanza piena di persone infelici non è molto utile. Sii la torcia, la luce splendente nella tempesta e aiuta ad elevare gli spiriti di quell'individuo. Vi sentirete entrambi molto meglio e inizierete a imparare che incontrare una persona al suo livello di dolore non è il modo migliore per aiutarla a superarlo.

CAPITOLO PRIMO

Cos'è l'empatia psichica?

Ti senti mai sopraffatto in bar, film, feste o folle di emozioni? Se sei con altri uomini, il tuo umore cambia mai? Ti capita mai di sentire un'improvvisa perdita di potere quando qualcuno è in giro? Senti mai sintomi fisici intorno a te? Potresti essere un'empatia spirituale se puoi rispondere sì a una di queste domande.

Una persona particolarmente sensibile all'energia e alle sue vibrazioni correlate è un'empatia psichica. Tutti i pensieri e le sensazioni generano energia vibrante e noi la rilasciamo continuamente nella comunità. Abbiamo tutti un effetto su tutti, anche in completo isolamento. Hai senza dubbio sentito parlare dell'influenza della farfalla, dove una farfalla che muove le sue delicate ali in Africa influenza l'energia altrove. Lo stesso vale per le nostre emozioni, frasi, desideri e azioni. Qualunque cosa prodotta nel o dal pensiero nello spazio solido ha una carica energetica che diventa accessibile a tutti. L'empatia decodifica e assimila implicitamente il potere degli altri come se fosse innato.

Sebbene le emozioni forti siano le più caricate energeticamente, sono più spesso captate e assimilate dall'empatia psichica. Questa non è una preoccupazione se la personalità è quella che ha una prospettiva positiva costante e uno stato d'animo felice e gioioso costantemente. Una persona del genere sarà felice degli altri che condividono la tenerezza e non c'è nulla di male.

Tuttavia, la compassione spesso diventa fastidiosa per qualcuno che ha vissuto molte sofferenze e difficoltà per tutta la vita. Una persona del genere tende a raccogliere emozioni altamente cariche o persino sintomi fisici da coloro che le circondano. Come una calamita, risucchiano le emozioni degli altri che riflettono le loro; e spesso si sentono sopraffatti.

La compassione psichica, anche se molti non sarebbero d'accordo, è una benedizione, non una maledizione. Anche i guaritori energetici, i medici intuitivi e i terapisti spirituali possiedono questa capacità e la usano nel loro lavoro quotidiano. Tali individui a volte si liberano da se stessi e dagli altri che rappresentano le energie negative. Per lo meno, la compassione fornisce al medico una base per guidare il processo di guarigione del paziente.

Sei un empatico?

Cosa ti dice?

Le persone empatiche sono sensibili ai sentimenti. Le persone che sono sempre state sensibili possono trovarsi ancora più sensibili ora in questi tempi che cambiano. E le persone che non erano così sensibili potrebbero notare che stanno diventando sempre più così.

La sensibilità è una questione del nostro tempo e, per i seguenti motivi, sono pienamente d'accordo. Colpisce tutti i tipi di persone, generi, culture. È particolarmente diffuso nelle persone che tentano di avere un impatto positivo su altre persone.

È innescato da persone che imitano i nostri sentimenti e credenze inconsce più spesso nelle situazioni.

Perché dovresti preoccuparti di questo? Ok, prima di tutto, se non ne sei consapevole, può spiegare alcune delle cose che accadono nella tua vita che potresti non aver notato prima, come sbalzi d'umore inspiegabili come piangere senza una ragione apparente o essere molto turbato su qualcosa che di solito potrebbe essere solo fastidioso, aumento della stanchezza, insonnia, dolori muscolari e tensione e malattia ... Potrebbe anche essere molto contento.

Può influenzare la tua capacità di avere successo da una prospettiva aziendale o lavorativa, entrare in contatto con gli altri, contribuire al mondo e avere il desiderio di renderlo un buon vivere. Può influenzare la tua capacità di divertirti, prendere parte all'attività fisica, le tue amicizie e il tuo benessere da un punto di vista personale.

Ed è solo l'inizio.

Quali sono i sintomi della compassione per te? (Sensibile alle emozioni)

1. Coloro che sono emotivamente sensibili provano spesso e profondamente emozioni.

2. Conoscono le emozioni delle persone che li circondano.

3. Le persone sensibili sono facilmente ferite o turbate. Un insulto o un commento scortese avrà un profondo impatto su di loro.

4. Allo stesso modo, le persone sensibili aspireranno a farlo.

5. Le persone sensibili sono facilmente ferite o turbate.

Capacità psichiche empatiche

Cos'è l'empatia emotiva?

A volte noto come "empatia" è un sensitivo empatico. Gli empatici hanno la capacità di sentire e comprendere i sentimenti degli altri, in modo simile a come i telepati possono sentire i pensieri degli altri. Sì, l'empatia e la telepatia sono poteri psichici strettamente correlati tra loro.

I sensitivi chiaramente sensibili (sensitivi "chiari sensibili") mostrano tipicamente abilità psichiche empatiche. Le qualità empatiche sono rare, ma non impreviste.

Caratteristiche di un empatico Gli empatici mostrano queste caratteristiche:

Estrema sensibilità ai sentimenti degli altri

Un'intensa consapevolezza del proprio ambiente

Buona comprensione del linguaggio del corpo

Conoscenza solida delle emozioni umane

La capacità di sentirsi più in profondità degli altri

Lo spettro empatico

Non tutti i sensitivi hanno la stessa forza empatica. Molti sensitivi hanno solo abilità empatiche rudimentali, mentre altri hanno abilità empatiche molto avanzate. La maggior parte degli empatici crolla nel mezzo da qualche parte.

I sensitivi con l'abilità empatica più elementare possono percepire ciò che fa un altro e possono sentire i loro sentimenti a volte. Solo alcune delle esperienze degli altri possono capire questi sensitivi.

I sensitivi con le capacità empatiche più avanzate possono percepire tutte le emozioni degli altri. Questi sensitivi spesso diventano così interessati ai sentimenti delle persone quando sono impegnati in un allenamento empatico che perdono brevemente di vista la propria identità. Questi sensitivi possono inviare messaggi emotivi e proiettare le proprie emozioni sugli altri.

Guarigione empatica

La maggior parte delle empatiche sceglie di usare la propria capacità di guarire gli altri. Gli empatici normalmente mettono le mani su qualcuno per sapere come pensa. L'empatia può quindi concentrarsi esplicitamente su ciò di cui il paziente ha bisogno.

Per alleviare lo stress, forti sensitivi empatici esprimeranno i sentimenti degli altri. La perdita e la tristezza sono due emozioni universali che possono essere comunicate e alleviate da una forte empatia. Un sensitivo può anche esprimere le proprie emozioni per diffondere gioia e felicità al fine di invertire questo processo.

Una maledizione o un regalo?

Poiché le empatiche trascorrono così tanto tempo a preoccuparsi dei sentimenti degli altri, possono dimenticarsi di preoccuparsi di se stesse. Gli empatici possono soffrire di cattive condizioni di salute a causa di abbandono di sé, stress emotivo e stanchezza fisica.

D'altra parte, è un regalo raro e meraviglioso per curare e diffondere sentimenti di felicità!

Ora hai sentito parlare di compassione ed empatia cognitiva.

Qual è questo significato?

Se ritieni di avere capacità psichiche empatiche, devi migliorare le tue capacità per scoprire il tuo vero potere psichico. Altrimenti, niente di utile sarà mai la tua forza empatica! Che casino!

Un nuovo approccio alla resilienza emotiva

Forse la sfida più grande nel mondo di oggi è sentire tutta la vita - gioia, estasi e beatitudine, insieme a frustrazione, crepacuore e dolore, e mantenere comunque un cuore aperto - per rimanere completamente svegli, coscienti e vivi. Eppure molti di noi saranno chiusi, protetti, reattivi e difensivi senza questo scopo cosciente. Lo yoga è un potente strumento non solo per aiutarci ad alleviare la pressione nel corpo e rilassare la mente, ma anche per ammorbidire e aprire l'anima.

Poi, eravamo tutti feriti, provando frustrazione, crepacuore e perdita. Cominciamo a lasciare che le ferite del passato influenzino il nostro futuro senza la conoscenza e la consapevolezza di quanto sia necessario lasciare che questa energia fluisca attraverso di noi, piuttosto che spegnerla intorno a noi. Fisicamente si manifesta quando cadiamo su noi stessi nel tentativo di proteggere i nostri cuori da potenziali lesioni con una posizione flaccida e spalle arrotondate.

La maggior parte di noi ha ricevuto messaggi sin dalla più tenera età che non va bene provare rabbia, delusione, ansia, paura o qualsiasi altra emozione considerata negativa. Per molti, il risultato è stato frasi come "smettila di piangere o ti do un motivo per piangere" o "le ragazze non piangono" o anche "smettila di essere così emotiva". Ci è stato detto con questi termini e altri che qualsiasi cosa diversa dalla felicità e dalla gioia non è reale, e così inizia il senso di colpa e la vergogna che colpisce così tante delle nostre vite.

Oggi, da adulti, e dopo un decennio di profonda repressione interiore dei nostri pensieri, molti di noi stanno scoppiando con ciò che è rimasto intatto. Eppure continua a chiamarci, inseguendo ogni nostro passo e inseguendoci alle calcagna, aspettando che ci fermiamo abbastanza a lungo da incoraggiarci a metterci al passo con tutto ciò da cui siamo scappati.

Questo chiarirebbe perché uno dei miei nuovi clienti di yoga condivideva la frustrazione sul perché non riusciva a rilassarsi la sera finché non avesse perso una bottiglia di vino o più. Era così resistente ad essere nel momento, come la maggior parte di noi, e sentiva pericoloso ciò che saliva in superficie che invece decise di intorpidire, e questa divenne la sua routine quotidiana e l'unico modo in cui poteva entrare in una pseudo-rilassata, pacifica stato. Tuttavia, come indicato dal fatto che ci sono 14 milioni di alcolisti in America oggi, non è sola nella sua ricerca.

Questo non è l'unico comportamento compulsivo, motivo per cui oltre il 64% degli americani è in sovrappeso o obeso. Anche con questi meccanismi di coping, l'insonnia colpisce oltre la metà della popolazione degli Stati Uniti, con almeno un paio di giorni alla settimana fino al 58% degli adulti preoccupati per le notti insonni.

Ma forse la statistica più allarmante di tutte è che negli ultimi 10 anni l'uso di antidepressivi è aumentato di 800 volte. La tendenza a rinnegare ciò che emerge dentro di noi ha un impatto in età sempre più giovane e, sfortunatamente, la fascia demografica in più rapida crescita sono i bambini in età prescolare.

Tutto ciò indica che è ora di smettere di scappare da noi stessi. La vera resilienza emotiva significa dare a noi stessi abbastanza credito per renderci conto che possiamo fare ciò di cui abbiamo bisogno per sentire, sicuri che una volta che lo facciamo e ne usciremo fuori, saremo più leggeri, più forti e più rilassati che mai, forse da quando eravamo bambini.

Una tale disconnessione tra i nostri corpi e le nostre menti è cresciuta, molti di noi sono persi in un flusso eterno di chiacchiere mentali che è così occupato, siamo diventati come teste che camminano senza corpi. Nei sentimenti, nella storia, nell'idea, ci perdiamo così tanto che non abbiamo più una connessione con i nostri corpi e nemmeno li sentiamo. Eppure è una connessione a ciò che sta accadendo nei nostri corpi che ci lega al nostro cuore e ci tiene con i piedi per terra.

La maggior parte di noi sente che se dedichiamo tempo ed energia concentrandoci sulla cura del nostro corpo fisico e delle attività intellettuali, siamo abbastanza al sicuro. Tuttavia, viene prestata pochissima attenzione al nostro benessere psicologico, che è la stessa energia che ci guida e influenza la qualità della nostra vita. Per molti, molto tempo dopo essersi presi cura dei bisogni del proprio corpo fisico e aver stimolato la mente con attività intellettuali, l'ultima frontiera è il benessere mentale.

Ma stiamo vivendo un periodo bellissimo. Poiché il mondo che ci circonda sta cambiando rapidamente, un numero crescente di persone sta spostando la propria attenzione verso l'interno. È l'unico posto dove andare quando il mondo esterno sembra selvaggio.

E nessuna ricerca di auto-scoperta può andare lontano senza essere disposta a riconoscere ciò che pensiamo che sia. Qualcosa di intangibile come un sentimento può essere facilmente ignorato in un mondo con così tanto rumore interno e stimoli esterni che combattono per la nostra attenzione. Ma non possiamo mai veramente conoscere noi stessi senza il desiderio di vedere, sperimentare e apprezzare la forza complessa che passa attraverso i nostri corpi.

Le nostre emozioni hanno un significato per noi in ogni momento. E se scegliamo di ignorarli, il nostro corpo inizierà a inviare segnali più forti e più visibili che alla fine si manifesteranno come dolore nel corpo se ignorati abbastanza a lungo. Negare i nostri sentimenti è come tenere un pallone da spiaggia sott'acqua; non puoi tenerlo premuto per sempre e alla fine spingerti verso la superficie.

Troppo spesso aspettiamo di essere in ginocchio, esausti per il tentativo di forzare senza successo la nostra volontà su una situazione prima di essere abbastanza pazienti da fermarci, prestare attenzione e iniziare ad aprire le nostre menti alla possibilità di un nuovo percorso.

Questo è ciò che ha ispirato la nascita di Empath Yoga, una comprensione dell'immersione nello yoga e un corso di certificazione. Empath Yoga è l'inevitabile culmine di quasi un decennio di lavoro e pratica in tutto il mondo con individui e gruppi. Gli studenti di Empath Yoga imparano prima a creare e mantenere la stanza per se stessi e per gli altri. La soluzione è semplice: fornire ai clienti un luogo sicuro in cui entrare in contatto con la loro realtà, sentire ciò di cui hanno bisogno per sentire in modo che possano uscire dall'altra parte e incoraggiarli e motivarli a fare scelte potenti nella loro vita.

Il senso di leggerezza che deriva dal lasciar andare - la pressione a cui ci aggrappiamo inconsapevolmente nei nostri corpi, i vecchi nastri oppressivi che riproduciamo nella nostra mente e le emozioni che abbiamo riempito nel profondo - è diverso da qualsiasi cosa possa essere espressa in parole. Questo deve essere ascoltato. Questo deve essere sentito.

CAPITOLO DUE

Civiltà empatica

Empatizzare è civilizzare e civilizzare è empatizzare. I primi umani erano cacciatori-raccoglitori, seguendo la storia della civiltà, la cui simpatia si diffuse alle loro stesse tribù. Le persone hanno applicato la loro simpatia alle loro affiliazioni religiose con la rivoluzione agricola e la crescita della coscienza filosofica dell'umanità.

I cittadini hanno abbracciato l'idea del nazionalismo e della parentela con i loro connazionali con l'industrializzazione e il concetto di stati-nazione. i tempi sono maturi per gli esseri umani per espandere la nostra compassione all'intera specie umana con l'accesso e la comunicazione universale di oggi.

Sembra che abbiamo sviluppato il nostro senso di empatia dal background indiano per includere le nostre famiglie e i baradari della nostra casta. Se le nostre strade inquinate e il traffico indisciplinato sono un segnale, il nostro senso di comunità più ampia è ancora sottosviluppato.

Mentre alcuni di noi si stanno connettendo come un paese in tempi di disastri naturali e in particolare per una grande partita di cricket, l'empatia dell'India è ancora abbastanza sottosviluppata. Allora cosa ci vorrebbe come nazione per fare il salto verso un senso di empatia per la razza umana nel suo insieme?

Gandhi è stato un leader nel dimostrare come vivere in modo inclusivo e sentirsi connesso al mondo intero. Sfortunatamente, durante la sua vita, la sua visione di un'India aperta e inclusiva non è stata realizzata. È un momento migliore adesso?

Se l'empatia è il nostro stato naturale, è logico che nella nostra mente abbiamo costruito barriere artificiali che ci impediscono di comunicare e agire secondo il nostro intento. Una barriera è l'idea di Adam Smith secondo cui la nostra condotta è guidata dall'interesse personale individuale, con la mano invisibile che si prende cura dell'intero universo. Le prove mostrano chiaramente il contrario. L'empatia è il nostro tratto trainante, non l'interesse personale.

Dalla paura emerge un altro ostacolo. Crediamo che la carità inizi a casa e solo dopo aver raggiunto un livello di stabilità possiamo affermare di essere empatici. Anche questo è falso, poiché i poveri si prestano sempre molto più sostegno della classe media o dei ricchi l'uno all'altro.

I ricchi hanno una maggiore coscienza sociale. Ad esempio, furono le prostitute di Ahmednagar che si fecero avanti per donare i guadagni di un giorno per il terremoto del Gujarat, facendo pressione sui ricchi uomini d'affari locali a seguirne l'esempio.

In sostanza, decidere come vivere e comunicare dipende da ciascuno di noi come individui. Abbiamo una scelta. Con i nostri genitori possiamo dare il benvenuto al mondo intero, oppure possiamo scegliere di separarci.

The Connected Age crea una massa crescente di persone che scelgono consapevolmente l'empatia. Quando questo raggiunge un punto critico, potrebbe verificarsi un cambiamento evidente e distinguibile. Esprimi i tuoi pensieri e le tue esperienze su un mondo di empatia.

Molti empatici bloccano la loro abbondanza

Gli empatici sono persone che si sentono profondamente e sono anime incredibilmente sensibili. Sentono dolore nelle parole non dette e gli occhi di qualcuno potrebbero tagliare l'aspetto scortese come una lama.

Su questo pianeta, hanno difficoltà qui, sentendosi sempre isolati e traditi dallo spirito perché molte volte il mondo che li circonda non ha senso. In verità, di solito va contro tutta la loro intuizione.

La realtà è che le empatie sono rivelatrici dell'inganno umano, non molto è andato oltre l'empatia ... Eppure probabilmente faranno fatica ad ascoltare i loro istinti e non riusciranno ad agire in base alle loro osservazioni perché a volte inconsciamente non si fidano di se stessi.

Gli empatici dicono che siamo esseri umani con esperienza spirituale e siamo esseri spirituali con esperienza umana. Film come: Angel, Sixth Sense, What Do We Call The Bleep? La fede è Illuminata dalla Città degli Angeli e da altri.

Una dieta sana, esercizio fisico e sonno sono altrettanto necessari per proteggere l'anima. L'unico scopo dell'anima è stabilire una crescita spirituale / emotiva. Il senso di gioia e benessere emana dall'anima alla psiche. Se la mente è trascurata e malnutrita dallo spirito e il corpo finisce per soffrire.

La spiritualità è il modo più efficace per guarire lo spirito. La spiritualità è la scienza della creazione legata a Dio e della redenzione dell'essere più intimo creato da Dio - il centro di noi - "Fatto a immagine di Dio". L'amore fa, uccide tutto il resto. L'amore non può coesistere contemporaneamente ad altre premesse; quindi, solo amare è Dio. La mosca nell'unguento dei versetti dell'esistenza umana in forma divina - come Dio - è l '"ego". L'ego è necessario per superare le vicissitudini della vita fisica. L'ego, però, è ciò che ci causa problemi. La realtà è: tutta la vita sulla terra ha il solo scopo di coltivare la nostra fede nella misura in cui è libera dall'indifferenza religiosa, libera da modelli di comportamento egoistici o dannosi (ego), libera di tornare alla nostra casa eterna in Cristo. La vera fede in Cristo contribuisce alla libertà.

Come tutti gli esseri, la compassione espressa per lo sviluppo emotivo e spirituale, le difficoltà emotive e spirituali è inerente all'esperienza umana.

Una volta che si accede a valori, percezioni, emozioni e azioni e si discute a livello inconscio, la "causa" di tutti i sintomi e comportamenti è chiarissima: il comportamento ei sintomi che si verificano sono traumi mentali / emotivi, fisici o spirituali / angoscia.

Un processo di guarigione profonda è un metodo semplice, succinto e diretto per trasformare i sintomi cognitivi, emotivi e fisici che trascendono i metodi tradizionali pur mantenendo un'enfasi clinica. La guarigione profonda evita la prescrizione e i farmaci da banco, l'estrazione di parti del corpo, le induzioni ipnotiche artificiali e gli interventi mentali. Il metodo è direttamente correlato alle percezioni e ai bisogni di una persona. Anche il metodo è pratico, realistico, coraggioso e con oltre 30 anni di esperienza di successo nel protocollo di salute olistica e secoli che so che la guarigione profonda è innegabilmente affidabile.

Trasforma tutto il tuo inutile bagaglio emotivo al livello inconscio e sperimenta immediatamente vibrazioni più elevate di amore e felicità.

Scopri perché ferite emotive e traumi ... Anche le più piccole brutte esperienze che tu abbia mai dimenticato ... Stai prendendo il tuo futuro felice, vivendo quello che dovresti vivere. (Non crederai a quanta energia offri a queste forze invisibili.)

Scopri le ragioni per cui affrontare il trauma convenzionale non è solo terribile, ma pericoloso. Paura del tuo passato? Trova il modo di chiarire i ricordi dolorosi senza riviverlo o raccontarlo a nessuno.

(Questo è il percorso magico verso la pace che la tua anima ha desiderato per anni.) (È come una di quelle piccole leve che aprono porte giganti.) È possibile trasmutare i tuoi blocchi all'attivazione dell'abbondanza.

Devi imparare a -ricevere-aggrapparti al denaro-trovare protezione in questo mondo e nel tuo corpo Riceverlo è sicuro per te!

Empateticamente empatizzare i nostri nemici

La razza umana sta scoprendo che la ripetizione della storia non funziona per quanto riguarda l'uccisione della nostra stessa specie. Sebbene solo l'uno per cento di tutti gli umani che hanno vissuto sul pianeta nella storia recente registrata di 2000 anni siano stati uccisi in una guerra; vediamo ancora il colpo di fulmine, risposte reciproche

che sembrano trascendere le generazioni. Il modo migliore per realizzare la volontà politica, se in realtà si è disposti ad aspettare, è renderli deboli attraverso doni o rendendo la loro vita troppo facile, togliendogli così la necessità di lottare per i propri diritti. Una volta raggiunto questo obiettivo, entrano in un regno di mediocrità e perdono tutte le motivazioni per combattere, innovare, insistere o fare la guerra contro di te. Una volta che hai un popoloso a quel punto puoi alzare lentamente la fiamma e tutti i piccoli froggies rimarranno nella pentola senza saltare fuori finché non ribollirà. Certo, si lamenteranno e si lamenteranno quando il caldo diventa troppo caldo, ma nessuno si ribellerà o ti combatterà per i tuoi obiettivi.

Come sappiamo che questo è un fatto? Ebbene, lo vediamo negli Stati Uniti e nella classe media che si lascia debitamente vincere dalla mediocrità. Lo vediamo nelle nazioni che abbiamo ricostruito dopo le guerre, diventano deboli, si godono la vita e richiedono lo status quo non disposti a combattere i cambiamenti graduali. Quelle nazioni che desiderano servire la loro volontà devono adottare un approccio a lungo termine ed empateticamente empatizzare il loro nemico e poi lentamente nel corso delle generazioni aumentare il vapore e modificare i loro processi di pensiero convincendoli che sono felici, liberi, fortunati, migliori, più intelligenti, più forti , illuminato. Una volta che hanno raggiunto la presunta realtà creata e percepiscono di essere arrivati, non guarderanno più al combattimento e tu potrai avere la tua volontà con loro. Una volta che una nazione o una cultura raggiunge un punto di auto gratificazione istantanea per ogni impulso umanamente innato, è arrivata a un punto in cui non è disposta a sacrificare ciò che ha per ciò che è giusto.

CAPITOLO TRE

L'arma segreta dell'empatia

Empatia: un approccio costruttivo come metodo di ascolto attraverso il processo di essere pienamente presenti per una comprensione profonda.

La definizione di cui sopra è mia e deriva da molti anni di ricerca pratica e applicata. Abbiamo usato questo concetto di empatia professionalmente e personalmente e non abbiamo mai venduto più su un modello di lealtà e dignità di quello fornito dall'empatia.

Mentre l'empatia non è altro che la capacità di ascoltare con tutto il nostro essere per metterci nei panni di un altro e comprendere appieno la loro realtà, l'arte di questo ruolo non è un risultato da poco.

Dato che abbiamo ascoltato persone impegnate in difficili argomenti di discussione durante la mia vita adulta, di solito possiamo dire nei primi minuti se la loro conversazione sarà produttiva e di successo.

Nella mia esperienza di consulenza e coaching a coppie, partner commerciali, famiglie e dirigenti, siamo colpiti dalla frequenza con cui l'ascoltatore non solo ha frainteso ciò che viene trasmesso quando si discute di un argomento difficile, ma è anche impegnato a pensare alla sua risposta senza essere completamente presente come ascoltatore. In genere, sono sulla difensiva e devono "dimostrare il loro punto" o "sbagliarsi". L'aumento acuto della frustrazione e / o dell'ansia è ciò che risulta da questa situazione. Di conseguenza, i livelli di polso iniziano a salire nei corpi del partecipante con una pressione notevole.

Se l'ambiente emotivo non è controllato rapidamente, il cervello primitivo si impegna (cervello dei mammiferi) e quindi gli individui non sono in grado di ricevere informazioni dall'espressione (condividerò molto sul preservare l'integrità morale del dialogo nelle parti 3 e 4 di questo serie). Se non c'è un rapido recupero, il risultato sarà una perdita di concentrazione sul soggetto e un deterioramento in una lotta carica di emozioni che polarizza i partecipanti.

In ogni conversazione, il controllo emotivo è essenziale e questo può essere ottenuto grazie a forti capacità di ascolto empatico. I temi si perdono rapidamente nella foga del confronto senza controllare l'ambiente emotivo e nulla di significativo viene risolto. È importante ricordare che l'oggetto di un'interazione è raggiungere un risultato soddisfacente rispetto al quale tutte (tutte) le parti si sentiranno bene. Senza questo in mente, coloro che pensano di aver "giocato" avranno l'assenza di "buy-in". Abbiamo assistito alla fine di più partnership, persone eccezionali che lasciavano il lavoro e famiglie che soffrivano a causa della mancanza di consenso da parte di tutte le parti interessate.

L'empatia, per l'essenza del suo scopo, è aiutare i partecipanti a muoversi insieme attraverso un sistema. Questo serve per mantenere tutti gli stakeholder coinvolti nella conversazione, mantenerli sulla stessa pagina e controllare i livelli di rabbia e ansia. In effetti, mantiene la credibilità del dialogo.

L'empatia consente inoltre a chi parla di avere una maggiore consapevolezza e comprensione della propria comprensione interiore dell'argomento in discussione. Questa consapevolezza e intuizione interna vengono fornite al parlante quando l'empatizzatore esprime un genuino interesse per ciò che l'espressa comunica insieme alla capacità di voler sapere.

Essere veramente notato e sentirsi capito è fin troppo raro per la maggior parte di noi. Ascoltiamo con compassione le nostre orecchie, menti, pensieri, intuizione e occhi. La percezione include tutto il corpo e la mente. Catturiamo ciò che è implicito o chiaro in questo modo, a volte leggendo tra le righe. Va ben oltre la comprensione delle espressioni di chi esprime.

In quanto empatizzanti, sono molto meno interessati all'ascolto delle parole e molto più interessati a comprendere la portata dell'esperienza totale dei parlanti.

Ascoltando senza preoccuparci di come risponderemo, possiamo quindi immergerci nella realtà di chi esprime.

Abbiamo lavorato di recente con una coppia sposata che possedeva piccole imprese. Per anni hanno discusso intorno a un tema ricorrente che aveva a che fare con il reclutamento di appaltatori rispetto al fare tutte le ricerche da soli. Aveva la mentalità che ci si risolve da soli quando si assume un compito. Non importa quanto tempo ci vuole, non importa quale prezzo paghi (perdita di sonno, solitudine, irritabilità, ecc.), Non assumere consulenti a carico del cliente.

D'altra parte, ha lavorato dal punto di vista che ottenere assistenza e supporto fosse una parte essenziale del modo in cui ha imparato e acquisito nuove conoscenze per eseguire le strategie ei piani richiesti dall'azienda. Dal momento che li abbiamo fatti lavorare con capacità di empatia (insieme ad altre abilità imminenti nelle future newsletter), c'è stata una nuova comprensione e conoscenza all'interno di 3 incontri che hanno prodotto una buona negoziazione.

Anche dopo più di 20 anni di matrimonio, è successo. Ha scoperto che vedeva le risorse limitate, incluso il denaro, e che la sua filosofia è che se vuoi fare qualcosa, lo fai da solo perché il suo cablaggio era così schiacciante nella paura della mancanza. Ha scoperto che spesso aveva paura e insicurezza di non poter risolvere un problema da sola, ed è stato anche incoraggiato a cercare sempre supporto e aiuto nella sua precedente carriera.

Quando si sono riconosciuti reciprocamente il punto di vista delle questioni più profonde alla base della controversia, sono stati in grado di negoziare come affrontare nuovi progetti. Fino a quando non ha cercato una consulenza, ha accettato di provare 2 o 3 diverse opzioni e ha accettato di impostare una voce di budget per l'assunzione di consulenti in azienda.

La depressione del "non abbastanza" si era ridotta una volta che questo era stato appreso e lei era stata in grado di superare le sue preoccupazioni di non essere in grado di capire nulla. Sapendo che il denaro era disponibile senza una lotta corrispondente, è stata in grado di rilassarsi provando da sola nuovi progetti.

Quando usi la compassione in una conversazione, ecco una serie di suggerimenti da seguire.

Dai all'oratore un genuino interesse attraverso il contatto visivo.

Lascia che l'espressione conosca il tuo linguaggio del corpo e sii disposto a capire (da non confondere con l'accordo).

Ascolta attentamente. Includi quelle risposte se senti che la tua mente cerca di rispondere e rimani in empatia. Successivamente, sarai in grado di rispondere e poi ti verrà data la stessa opportunità di sentirti capito.

Cerca di capire il significato della posizione dell'espressione. Questo è importante per lui / lei.

Ascolta sia l'implicito che lo specifico.

Ascolta pensieri, sogni, aspirazioni, ansie e bisogni.

Formulate com'è essere la persona che ascoltate nella vostra mente e nel vostro corpo. Permette di escludere il nostro ruolo egocentrico.

Dopo aver ascoltato ciò che ha da dire l'oratore, rifletti sulla tua comprensione per assicurarti di aver catturato correttamente la realtà di quella persona. Nota, stai lavorando insieme e sapere è il dovere della tua anima.

Se l'oratore corregge la tua percezione errata, ascolta semplicemente in modo che tu possa capire che ha bisogno che tu abbia e poi cerca di rifletterlo.

Acquisire maggiore consapevolezza dell'empatia

Un'altra compassione ha detto che le energie intorno a lui e i doni spirituali di cui è diventato più consapevole. Ma allo stesso tempo ne aveva anche paura. Per lui, deriva da credenze morali che lo hanno convinto che non erano doni di Dio, che provenivano dal diavolo. Potresti essere stato educato a credere che questo tipo di sensibilità fosse sbagliato, ma allo stesso tempo (anche da bambino) hai avuto una percezione, emozioni e comprensione interna. In tal caso, potresti essere un po 'confuso su come gestirne l'uso. Potresti non aver provato a sviluppare questi talenti perché hai paura di andare troppo lontano o non sai che tipo di limiti dovresti impostare.

Diamo prima uno sguardo a Gesù, un amato insegnante. Quando una ragazza si avvicinò all'orlo della sua giacca, una volta era in mezzo a una folla di persone. Capì immediatamente che la virtù (energia di guarigione) era uscita da lui e chiese: "Chi mi ha toccato?" Lo ha sentito quando qualcuno ha toccato il suo campo elettromagnetico, anche se ha solo toccato la sua pelle! Il verso che ci ricorda che ogni dono positivo e perfetto, doni spirituali, viene da Dio te lo dice. Ci sono molti doni spirituali menzionati in 1 Corinzi 13: il dono della profezia, il dono delle lingue, il dono della comprensione del linguaggio, il discernimento spirituale, la guarigione, il lavoro miracoloso, ecc. Questi sono elencati a nostro vantaggio poiché sappiamo che in qualche modo siamo stati benedetti. E c'è la responsabilità di usare amorevolmente quei doni. Tali doni non ci sono stati offerti per nasconderli al mondo o per odiarli. Siamo strumenti per sostenere noi e gli altri. Quando abbiamo questi doni spirituali, è molto importante coltivare il nostro spirito e stabilire dei limiti in modo che tutti là fuori non siano bombardati di energia. Prima di poter amare gli altri, dobbiamo amare noi stessi, altrimenti non c'è niente da offrire. È come fare rifornimento di carburante a un'auto per trascorrere del tempo con Goddess. Senza più succo, non puoi correre molto a lungo!

Diverse persone volevano martellarlo una volta che Gesù camminava sulla Terra, molte volevano incoronarlo. C'era un'enorme differenza e quello che la gente pensava di lui. Noi empatiche abbiamo lo stesso dilemma. Altri potrebbero non capirti. Potresti aver paura dei regali che hai. Attraverso i nostri insegnamenti religiosi, ci è stato insegnato che il discernimento degli spiriti o la capacità di comunicare con quelli nell'aldilà è del diavolo. Un membro stretto della mia famiglia mi ha chiamato negromante. Non c'è gratitudine per i miei doni. Questo mi impedisce di usarli? No, li usiamo perché questi doni ci sono stati affidati e siamo responsabili di usarli con saggezza; ed è quello che intendiamo fare. Li ostentiamo davanti ai membri della mia famiglia che disapprova? No, questo è ciò che la Bibbia chiama le perle che stanno di fronte ai maiali. Non chiamo asino nessuno. Sto suggerendo che non c'è bisogno di portare qualcosa di così prezioso là fuori e lasciare che i tuoi talenti e la tua sensibilità si blocchino. Sarai tu a determinare a chi ea chi usare i tuoi doni. Abbiamo stabilito una regola che non lo facciamo a meno che non abbiamo il permesso di pregare per qualcuno. Puoi facilmente mettere la tua energia in quella di qualcun altro pasticciare energicamente con le cose di un altro uomo.

Molte persone sono altamente sensibili all'energia e vedono cose o hanno allucinazioni. Possono sapere intuitivamente cosa succede nella vita di un'altra persona. Non devi sostenere ogni persona che incontri, ma puoi fare qualcosa. Pregate per questo prima di pianificare di essere coinvolti. Respira profondamente per un paio di minuti e chiediti se hai qualcosa da fare / dire su ciò che hai imparato. Come ti senti quando pensi di pensare o di fare qualcosa per aiutare? Ti sembra giusto? Hai dolore o sensazioni nel tuo corpo? In tal caso, evita di impegnarti a livello umano. Potresti non volere il tuo aiuto se una persona non ti ha chiesto di aiutarlo. Ti senti più leggero, più felice o migliore nel sostenere questa persona o nel dire ciò che hai percepito? In tal caso, chiedi consiglio su cosa fare e come trattare la vittima.

Potresti aver bisogno o meno di affrontarli a livello umano quando continui a pensare a qualcuno e credi che abbia bisogno di supporto. Per guidare il loro percorso, puoi sempre dare amore e luce. Chiama solo gli angeli per aiutare. Immagina uno straordinario raggio di luce, forse rosa o blu, proveniente dall'universo. Il rosa è il cuore dell'amore; il verde sta curando. Guarda questo raggio di luce che viaggia verso e intorno alla persona bisognosa. Questa forte energia è come una cellula staminale con saggezza divina, che sa dove è necessaria e cosa fare quando si tratta di essa. Questo non solo dà loro l'energia con cui lavorare, ma dà loro anche una visione approfondita in modo che possano fare buone scelte. Possono sentire l'energia sotterranea e aiutarli. Se qualcosa deve cambiare, tuttavia, lo desiderano, possono applicare il potere. Se guarisce, se è un'amicizia, se è emotivo / mentale, non importa, è comune in amore e luce. Dai l'energia e lascia che facciano quello che vogliono con essa mentre sono guidati dallo spirito. Non cerchi di manipolare alcun risultato o alterare nulla nelle circostanze della vita di un'altra persona inviando amore e luce. Non abusate del loro libero arbitrio o "aggiustate" una situazione creata dalla loro coscienza per imparare la lezione. Inviare energia positiva a qualcuno è come lasciare un regalo sulla soglia di casa. Offre ciò di cui hanno bisogno, ma non sanno mai chi ha inviato il regalo e non dovrai accettare cose da altre persone. Saprai chi e quando aiutare e come. Puoi sapere intuitivamente fino a che punto devi andare con il tuo aiuto se obbedisci alla tua guida interna e cosa devi fare per rafforzare i tuoi confini.

Devi usare i tuoi talenti se qualcuno ti chiede di pregare per loro. Ma invece di pensare o sentire con il tuo corpo o con il tuo nucleo emotivo (quarto chakra), usa il tuo sesto chakra, chiamato anche terzo occhio, per vedere o capire dove devi concentrare l'energia. Saremo esausti se continuiamo a lavorare sui nostri sentimenti e sulla nostra forza fisica. Ma quando operiamo in base al potere divino, la posizione del sacro cuore, non siamo noi a fare il lavoro; siamo solo un condotto. Possiamo essere il sole e siamo Dio essendo la luce. E non dobbiamo pensare a ritorsioni o preoccuparci dei pensieri degli altri.

Quindi, se sei preoccupato per ciò che le tue capacità spirituali sono state insegnate o sei preoccupato per ciò che dicono gli altri, ricorda dove sono scritte le leggi di Dio. Le regole di cui parlò il salmista Davide non sono scritte su tavolette di pietra o in un libro, né si trovano nella religione. Sono nel tuo cuore pubblicati. Se qualcosa non ti sembra giusto e sei in disaccordo con esso, segui la verità che il tuo cuore ti esprime.

Il pezzo mancante nell'eccesso di cibo: perché le diete falliscono nell'empatia

C'è di più in faccia che si avvicina all'eccesso di cibo e all'obesità. Uno dei motivi principali per cui la maggior parte delle diete fallisce è che i programmi di perdita di peso tradizionali non fanno la differenza nel modo in cui gestiamo l'energia sottile, ciò che la medicina cinese è chiamata forza vitale o chi. Il corpo è penetrato e circondato da un calore sottile. In reazione all'essere sopraffatti da vibrazioni negative, le persone sensibili che chiamiamo empatici intuitivi mangiano inconsapevolmente troppo. Gli empatici non solo possono sentire l'energia che li circonda, ma la immagazzinano anche nei loro corpi. Se sei tu, quando la tentazione di mangiare troppo ti colpisce, puoi essere incoraggiato a concentrarti e mantenerti.

Ecco il concetto positivo di obesità: hanno meno imbottitura quando gli empatici sono in sovrappeso e sono più vulnerabili ad assorbire le vibrazioni negative. Ad esempio, i guaritori per fede dell'inizio del ventesimo secolo erano noti per essere gravemente obesi per evitare di sentire i sintomi del loro paziente - una trappola comune che ho anche osservato cadere involontariamente nei guaritori moderni; il cibo è un comodo strumento di messa a terra. Allo stesso modo, molti dei miei pazienti fanno i bagagli per difendersi da vibrazioni enormi o minime che distraggono. Il potere è al centro del desiderio di empatia. Se la tua sensibilità è troppo negativa, le vibrazioni sono minime o estreme, la creazione di strategie di coping alternative diverse dall'eccesso di cibo è fondamentale per il successo di una dieta. Ecco otto suggerimenti dal mio nuovo libro che ti aiuteranno a far fronte alle vibrazioni negative senza violenza alimentare. Se aggredito da un collega arrabbiato o da una minaccia globale, applicali immediatamente. Resta al passo con chi lavora meglio per te.

8 Interventi di emergenza per fermare l'alimentazione energetica Se la voglia di mangiare troppo colpisce:

1. Identificare un desiderio che crea dipendenza da un vero bisogno: un sintomo di abbandono del cibo, il desiderio che crea dipendenza è una reazione ricorrente al sovraccarico energetico. Alla fine, come un tossicodipendente, mangi certi cibi; questo porta all'obesità. Le voglie sembrano intense: fai attenzione se inizi a cercare caramelle e carboidrati in generale. Ad esempio, il cioccolato, usandolo per auto-medicare l'ansia o per ottenere uno sballo di zucchero, anche se hai sbalzi d'umore, sbornia di zucchero, non puoi controllare il tuo consumo o ti ammali. Mangi per alleviare lo stress con le voglie, non

per creare forza. Inizia a identificare e limitare i cibi che creano dipendenza.

Una tale tempesta e drang mancano di un vero bisogno nutrizionale: non c'è fame o polmone di cibo per difendersi dalle energie negative. Un vero bisogno viene da una posizione centrale, non ha nulla a che fare con il calmare i nostri sentimenti (cibi di conforto) o l'ossessione. Sentirsi al sicuro dal cibo raramente richiede sbalzi d'umore - sedazione o euforia - piuttosto un senso di soddisfazione. Un vero bisogno ti aiuta a goderti il tuo pasto, a risparmiare energia ea non provocare obesità.

2. Identifica rapidamente i fattori di stress intensi che provocano voglie di dipendenza: chiediti subito: sei soggetto a vibrazioni negative? Uno sconosciuto con un chiacchierone. Esperienza di controllo della sicurezza in aeroporto. Un blocco delle telefonate prepotenti di tua madre. Non cancellare gli incidenti "più piccoli" che notoriamente inviano empatici automobilistici al frigorifero. Evitare il panico. Identifica metodicamente la causa e l'effetto. L'energia negativa non deve vittimizzarti. Il trucco è cancellarlo una volta che sei stato ingannato il prima possibile.

3. Espira le vibrazioni negative del tuo sistema: fai una pausa di cinque minuti per controllare il danno. Inspirate ed espirate lentamente. Il respiro stimola l'energia positiva come hai imparato; rimuove anche le vibrazioni negative. Verifica se sono intrappolati in una parte particolare del tuo corpo. Per cominciare, le vibrazioni negative vanno dritte al mio istinto; una pistola stordente tossica ci fa sentire irradiati. Identifica la debolezza dei tuoi punti. Pratica allora questa analogia: proprio come i tuoi polmoni consumano ossigeno e rimuovono l'anidride carbonica velenosa, puoi respirare luce e chiarezza, espirare la pressione. Respira nella vitalità. Espira il terrore. Inoltre, visualizza

le vibrazioni negative che escono nella mia parte bassa della schiena tra gli spazi tra le vertebre. Puoi anche provare quello. Un processo di pulizia di successo consiste nell'aspirare vibrazioni tossiche. Sei responsabile del flusso. Permea ogni centimetro di te con il benessere. Esegui questo esercizio fino a quando il residuo dannoso non è sicuro.

4. Prega per rimuovere la dipendenza da dipendenza: vai in modalità preghiera se sei colto da un desiderio. Respira lentamente per un paio di momenti tranquilli. Dai al tuo cuore la consapevolezza e cerca l'auto-compassione. Il desiderio può sembrare ingestibile, ma va bene. Di 'al tuo potere superiore di tirarlo fuori da te in questo stato di calma. Non c'era bisogno di sollecitazioni emotive. Una semplice richiesta sincera funziona come un incantesimo quando rinunci al tuo coinvolgimento egoico. Quello che fai è chiamare un'energia positiva cosmicamente dominante per soppiantare una spinta distruttiva del mondo materiale.

5. Fare il bagno o la doccia: immergersi nell'acqua è un modo rapido per rimuovere le vibrazioni negative. La mia piscina è il mio rifugio dopo una giornata intensa: dai fumi degli autobus per le troppo lunghe ore di viaggio aereo al disagio personale, lava via tutto. Giochi d'acqua su di te mentre ti rilassi. Ha proprietà alchemiche che purificano il corpo fisico e il campo energetico.

6. Brucia la salvia: solo perché non riesci a vedere le vibrazioni non significa che non ti nutri di esse. Prova a bruciare la salvia per combattere che qualcuno depositi energia negativa nel tuo ufficio o in casa, una tattica che ha tenuto a freno i miei pazienti con molte persone a contatto nella loro stanza. Le vibrazioni si accumulano e, se non vengono eliminate, possono causare stress. Potresti non sapere che le energie sottili rimaste causano schemi alimentari malsani, ma queste vibrazioni ti depredano in modo subliminale. La salvia è stata

utilizzata dagli antichi interculturali per purificare i siti. Brucialo e il desiderio di mangiare delle vibrazioni negative svanirà.

7. Visualizza uno scudo difensivo intorno a te: visualizza la luce bianca dalla testa ai piedi che copre ogni centimetro in modo che l'energia negativa non sia in grado di penetrare questo scudo e ridurre il calore.

7. Mangia con accordo: crea una dieta adatta alle tue esigenze nutrizionali. Vorrei che l'energia ti ispirasse a nutrirti, più importante del gusto o di qualsiasi dogma alimentare, una priorità da dare ai bambini. Tutto quello che metti in bocca, passa attraverso il tuo misuratore di energia; vedere cosa è nutriente o impoverito. Anche i cibi che hai evitato diventano più allettanti man mano che il loro potere aumenta la tua consapevolezza.

Il cibo non è un posto comodo dove stare. Non devi lasciare che il carburante tossico si nasconda dentro di te. Effettua un check-in giornaliero per rimanere in cima al tuo pasto. Stai all'erta con vibrazioni negative per le voglie. Controlla le tue risposte. Prometti, cambierà le tue abitudini alimentari.

CAPITOLO QUATTRO

Il tuo umore impatta

Numerosi studi hanno dimostrato che le persone intorno a loro sembrano vedere tutto sotto una luce molto più positiva quando i leader sono di buon umore. L'ambiente risultante crea una forza lavoro positiva, che in effetti incoraggia una migliore produttività complessiva, un pensiero innovativo e un processo decisionale più efficace. L'argomento è spesso accurato quando prevalgono gli stati d'animo depressivi di un leader: hanno effetti negativi sul leader, sui suoi dipendenti e sulla qualità dell'azienda.

Nel 2000, Caroline Bartel della New York University e Richard Saavedra della Michigan University hanno svolto ricerche in 70 gruppi di lavoro in vari settori. La nostra ricerca ha scoperto che in due ore, le persone che si riuniscono in riunioni regolari finiscono per condividere i nostri buoni o cattivi umori. Il fatto che le persone che lavorano insieme condividano i loro stati d'animo è stato confermato da altri studi.

I leader devono riconoscere che gli stati d'animo che emergono ai vertici continuano a diffondersi rapidamente in tutta la forza lavoro all'interno della maggior parte delle organizzazioni. La spiegazione di questa diffusione è che questi stati d'animo sono osservati da quasi tutti nel business e sono quindi direttamente influenzati da essi. I leader che non sono consapevoli di questo ciclo non riescono a capire il loro impatto sulle prestazioni organizzative, così come i loro stati d'animo.

Un ampio corpus di ricerche suggerisce che la maggior parte dei leader non è consapevole dell'effetto significativo che i propri livelli di intelligenza emotiva, stati d'animo e atteggiamenti hanno sui lavoratori e sull'azienda. I leader possono rimanere confusi su come hanno il potenziale per comunicare all'interno di un'azienda.

Le conseguenze di comportamenti negativi incustoditi o non regolamentati sono gravi in molti casi. Per paura della reazione emotiva e della possibile rabbia del leader, i lavoratori possono essere riluttanti a condividere dati e informazioni affidabili e pratici.

Nella misura in cui il leader è emotivamente disconnesso dall'azienda, gli effetti delle risposte emotive negative sono dannosi; di conseguenza, lui o lei non avrà un chiaro senso di ciò che sta accadendo sul posto di lavoro. Tali situazioni sono particolarmente preoccupanti quando i dipendenti lavorano deliberatamente per nascondere errori, errori e schemi potenzialmente problematici.

Mancanza di consapevolezza

Mentre un leader emotivamente distaccato può spesso pensare che qualcosa non va sul posto di lavoro, la causa esatta rimane sfuggente, indebolendo così la loro efficacia. L'instabilità della situazione percepita spesso induce i leader a indovinare i propri lavoratori. Altre serie sfide organizzative possono essere innescate dai seguenti motivi: mancanza di consapevolezza Se i leader mostrano una mancanza di consapevolezza personale, non possono valutare oggettivamente i loro stati d'animo per non parlare dell'effetto che questi stati d'animo hanno sull'organizzazione. La mancanza di consapevolezza in alcuni casi è il prodotto dell'ignoranza del leader, ma più spesso è una conseguenza dell'uso di vecchi stili di leadership.

La maggior parte dei leader che cadono vittima di una perdita di consapevolezza crede che i loro stati d'animo privati non siano responsabilità di nessuno. Poiché questi leader non vedono la necessità di fare pressioni su se stessi per compiacere i propri lavoratori, l'onere di far fronte agli stati d'animo diventa i loro dipendenti. Qualunque sia la causa e lo scopo, la mancanza di conoscenza personale non solo mina l'efficacia del leader ma anche i risultati finali della loro organizzazione.

Mancanza di autogestione

Può essere dannoso per un'azienda se i membri mancano di capacità di autogestione. Gli sbalzi d'umore, le reazioni altamente emotive, la rabbia e gli scoppi d'ira influenzano entrambi i lavoratori in modo significativo e negativo. I leader permettono alle loro emozioni di dominarli in tutti questi casi. Questi sentimenti incontrollati indeboliscono la fiducia e il morale del lavoratore, il che ha effetti immediati e negativi sulle prestazioni dell'azienda.

Se i leader consentono a se stessi di essere emotivamente instabili, a causa dell'aumento dei livelli di stress, la loro azienda potrebbe sperimentare tassi di assenteismo e turnover dei dipendenti più elevati. Questo effetto misurabile può essere misurato, quantificato e illustrato direttamente su un'entità.

Mançanza di consapevolezza sociale

C'è una mancanza di consapevolezza sociale tra i leader se non riescono a entrare in empatia con i lavoratori e le altre persone. Chi non ha conoscenze sociali o non sa che esiste un problema in questo campo o non si preoccupa dell'impatto che le sue parole e azioni hanno sui lavoratori e sull'azienda. I leader che si concentrano solo sulle prestazioni trascurando i contributi personali mostrano attivamente questo deficit sociale.

Questi governanti sono incapaci di ispirazione, etica o problemi personali. Di conseguenza, sono spesso circondati da lavoratori inesperti e impauriti. Abbandonare rapidamente le persone competenti o quelle con migliori opportunità di lavoro. Grave e chiaro sarà l'effetto sulla competitività e sulla redditività dell'azienda.

Cattiva gestione delle relazioni

Cattiva gestione delle relazioni I leader con scarse capacità di gestione delle relazioni non sono in grado di comunicare in modo efficace, provocando incomprensioni, incertezze e conflitti. I dipendenti possono sentirsi meno responsabili e disimpegnati in questa situazione, poiché il leader spesso critica e ripensa al loro lavoro. Le cattive relazioni tra il leader e il personale alla fine fanno diminuire il morale e la motivazione. I dipendenti non sanno dove si trovano questi membri. E questa sensazione porta anche all'elevato turnover dei lavoratori e alla minore produttività.

Sebbene possibile, è insolito per i leader mostrare sintomi solo in una delle aree di cui sopra: sono tipicamente carenti in più categorie di intelligenza emotiva. I loro impatti sono esacerbati quando queste influenze vengono combinate; così si crea un ambiente organizzativo tossico pieno di problemi e controversie.

Tali leader causano anche estrema confusione e interruzione all'interno dell'azienda nel suo complesso. Questo non solo diminuisce il loro prestigio e la loro produttività come leader, ma può anche minare e rovinare completamente l'efficacia di un'organizzazione. Il tumulto e il danno continueranno fino a quando il dissonante non sarà sostituito da un governante più ottimista e razionale. E questo cambiamento è solitamente l'unica alternativa praticabile per alleviare il caos e riparare l'organizzazione.

Come porre fine al dolore ed essere felici

La maggior parte delle persone che credono nel karma (il principio di causa ed effetto se credi in precedenti incarnazioni) hanno l'idea che le cose brutte che accadono loro siano una forma di debito karmico. Sia negli affari che nelle relazioni, meritano tutto ciò che è accaduto loro. Non sono assolutamente d'accordo con l'idea che ciò che ti accade in questa vita sia dovuto al debito della vita passata che devi ripagare.

Non ha senso perché non sappiamo cosa abbiamo fatto se è reale e non avremo alcun sentimento di rimpianto o pentimento. Come essere felici e porre fine ai dolori della vita è spesso accompagnato da questa affermazione.

La felicità è nella tua mente, ma prima dobbiamo superare la nostra mente dalla sua propensione a concentrarsi su pensieri negativi per sperimentarla. L'unico modo per porre fine alla sofferenza è vedere le cose come sono oggettive.

Dolore puramente intellettuale, emotivo. Senti dolore quando non ottieni quello che vuoi. Quando abbracci ciò che ottieni, però, non sentirai dolore. È solo vero. Quando considero ciò che ottengo senza alcuna esitazione, opposizione o emozione negativa ad esso, non riesco a sentirne alcun dolore. Quindi possiamo dedurre che il dolore è causato ignorando o respingendo la realtà oggettiva di una situazione.

Prendendo tutto ciò che entra nella tua vita, ogni evento così com'è, invece di dire: "No, non voglio questo, lo voglio", e finirai per porre fine a tutte le sofferenze della tua vita. Non ha niente a che fare con il karma, va tutto bene nella tua mentalità qui e ora e tutto nella tua testa.

La nozione di karma e di debiti di vite passate è semplicemente una ragione per resistere alla resa degli impulsi e riconoscere che stai semplicemente andando contro la realtà della situazione. La gente dice: "È colpa mia se mi ha abbandonato" o qualsiasi cosa sia andata storta. "È karma, e sto pagando un debito karmico quindi dovrei soffrire perché è così che potrei scusarmi e sfuggire al debito karmico." Questa è solo una giustificazione per essere in grado di soffrire o provare autocommiserazione senza pensare che si tratta di sofferenza autoinflitta che potrebbe essere prevenuta altrettanto facilmente. Se non c'è sofferenza, non c'è altra alternativa che il piacere lasciato dalla legge naturale degli opposti.

La verità è che il dolore si fa sentire perché non accetti le cose come sono e devi rinunciare ai tuoi desideri egoistici e accettare il tuo destino per porre fine al dolore. È solo un bambino che vuole che tutto vada a modo suo e fa i capricci se non ottiene ciò che vuole. È perché così tante persone rimangono al livello di maturità di cinque anni che c'è così tanta sofferenza inutile nelle nostre vite.

Invece di migliorare se stessi, la maggior parte delle persone metterà tutto sulla teoria del fato o del destino, o che Dio li odia, rimarrà lo stesso e continuerà a soffrire per tutta la vita ogni volta che non ottiene ciò che vuole. Quindi non devono mai fare uno sforzo per maturare e accettare gli obblighi di un adulto.

Nel tuo cuore, pancia, cervello, mente e emozioni senti dolore. Il dolore è un fatto interessante. Sei l'unico che lo sa. Altri potrebbero provare simpatia per te e simpatizzare con la tua sofferenza, ma se sei felice, non proveranno alcun dolore per te. La sofferenza nella tua mente è tutto.

Il che significa che tu sei la radice e il maestro del dolore. Dopotutto, niente entra nella tua mente se non attraverso la tua intelligenza che interpreta la situazione e le dà un assaggio di buono o cattivo dopo aver superato la prova di soddisfare o rifiutare i tuoi desideri.

"O sei con me o contro di me, amico o nemico", come si dice nei film. Gli amici mi fanno sentire bene, i nemici mi fanno arrabbiare. E se cambiassi le tue motivazioni per decidere se qualcuno era un nemico o un amico?

Immaginiamo che stai guidando lungo la strada e sei inseguito da qualcuno. Stai cercando di scappare perché hai paura che ti attacchino. Diventi sempre più arrabbiato e odi la persona ogni secondo mentre la caccia continua. La paura e la rabbia continuano a crescere fino a quando il tuo inseguitore si alza finalmente al lato della tua macchina e solleva la tua borsa. Ti rendi subito conto che questa persona orribile che voleva ucciderti è solo qualcuno del bar dove hai perso inconsapevolmente la tua borsa e sta solo cercando di riportartela. La tua visione della situazione cambierà completamente i tuoi sentimenti quando pensi che sia un attacco o un parente.

Non possiamo sempre avere quello che vogliamo nella vita. Ciò significherebbe che tutti sulla terra, così come tutti i governi e l'economia globale, devono seguire l '"io" nel modo in cui vogliamo che vada. Penso che a questo punto siamo appena scesi a circa due anni.

Se sono abbastanza coraggioso ... Cresci! La vita non andrà come vorresti, non sarai Dio o il leader supremo del pianeta Terra. Cambiare il modo in cui pensi richiede solo un momento. Comprendi tutto ciò che è, che non puoi sempre avere quello che vuoi, la sofferenza psicologica viene innescata dal non ottenere ciò che vuoi, anche per la morte di una persona cara. Quindi abbraccia tutto così com'è e vivi con esso così com'è. In questo modo, la tua vita sarà libera dal dolore e dalla sofferenza mentale e la legge sarà la pace. Concedigli uno sforzo. Troverai la tua vita che cambia lentamente e gradualmente, a poco a poco, giorno dopo giorno.

Sei un animaleempatico?

potresti avere un'empatia animale.

1) Sia che tu giuri che tu e i tuoi animali capiate cosa pensa o sente l'altro,

2) Sai di cosa parlano i tuoi animali.

3) Noti anche strani animali, in particolare quando li vedi su una rivista o in televisione.

4) Tu e il tuo compagno animale avete iniziato a guardare e / o ad agire allo stesso modo.

5) A volte, anche se hai molto spazio per muoverti, ti senti intrappolato.

6) Parlando di insetti ti ritrovi.

7) Guarda negli occhi di un animale e senti di vedere uno spirito.

8) Ti piacciono più gli animali che gli umani.

9) Sei fortemente associato a certe forme animali, ad es. farfalle, conigli, gatti, ghepardi, ecc.

10) Animali come te, anche se non ne vuoi mai un altro. (Ciò comporta l '"adozione" di amici pelosi di altri membri della famiglia nonostante i tuoi modi burberi e la mancanza di attenzione.)

11) Soffri di insonnia e mangi pollo.

12) Dopo aver mangiato prodotti animali (carne, pesce, uova, latte, prodotti delle api), ti senti triste, arrabbiato o nervoso.

Mentre molti libri e ricerche stanno indagando sui legami tra cibo e nutrizione, ho trovato uno schema ricorrente nei clienti Intuitivi Clinici: persone meravigliose in viaggi religiosi che soffrono di ansia e depressione "inspiegabili". Andavamo dagli psicologi, cercavamo spesso farmaci da prescrizione, leggevamo libri di auto-aiuto, evitavamo lo zucchero e cercavamo di attuare la legge di attrazione, ma senza successo. La maggior parte adotta diete vegetariane, o "mangia pesce nel peggiore dei casi", ma ci sono ancora sentimenti. Indipendentemente da quanto siano ottimisti e rilassati, cercano di comportarsi bene, provano un fastidioso senso di vergogna, tristezza e paura. Più la persona è sintonizzata, peggiori sono i sentimenti. Questa realtà all'inizio era controintuitiva fino a quando ulteriori ricerche non sono diventate "successi" intuitivi. Clienti e studenti così sensibili e premurosi erano diventati empatia animale. I loro sintomi migliorano notevolmente cambiando la loro dieta in modi specifici.

Il potere del cibo è sperimentato da persone altamente sensibili. Più sana è la tua dieta e il tuo stile di vita, più energia puoi avere. Pertanto, su un percorso spirituale, i vegetariani coscienziosi spesso soffrono peggio delle persone che sono meno attente alla loro carne. Quando un vegetariano soffre di ansia e / o depressione inspiegabili, in genere dobbiamo chiedere se conosce le condizioni negli allevamenti o nelle fabbriche di uova, compresi quelli biologici. Conosceranno la paura e l'ansia che sono radicate nelle loro omelette al formaggio e nella imitazione della pizza ai peperoni, indipendentemente dalla comodità? Sapranno che anche il tracciamento può accumulare quantità di quei sentimenti nel tempo? Quindi di 'a coloro che mangiano pesce: "Hai mai guardato negli occhi un pesce o visto un pesce dimenarsi su un amo? Ti sembra familiare?" La maggior parte di queste persone ammette di sentirsi scioccata per l'abuso di animali e di voler diventare vegana, ma non pensa di avere risorse adeguate. Affermiamo che con una dieta vegetariana e cibo ruspante abbiamo raggiunto un "mezzo felice". Sfortunatamente, sono ancora elusi dalla "felicità".

Qualcosa di meno di una rigorosa dieta vegana cruda andrà bene per alcuni uomini. Altri possono compensare la loro dieta attuale con alcune modifiche.

Come puoi dire questo spettro dove sei seduto? Sperimentare!

1) Rimuovere e reintrodurre i prodotti animali per due giorni. Presta attenzione alla tua reazione immediata e ai sentimenti nei prossimi due giorni. Quando non sei sicuro, chiedi agli altri di osservare il tuo umore e il tuo atteggiamento senza chiedere loro perché vuoi saperlo. Quando né tu né nessun altro osservate un cambiamento nella vostra forza, atteggiamento, grado di apprezzamento o soddisfazione, o nel modo in cui gli animali reagiscono a voi, allora potete interrompere o continuare a sperimentare - la vostra selezione.

2) Quando le variazioni sono evidenti (più leggere, più forti, più felici, meno nervose, ecc.), Puoi iniziare benedendo il tuo cibo e ringraziandolo. Lodiamo lo spirito dell'animale se i nativi americani o altre tribù indigene uccidono per la carne. Se vuoi continuare a mangiare cibo, latte e uova, ricordare gentilmente il sacrificio ti aiuterà a farlo in pace. Esistono due approcci per sintonizzarsi sugli animali. Se riesci a percepire l'impatto dell'animale sul materiale, puoi anche adattarti allo spirito dell'animale per ringraziarti brevemente.

3) Dai un'occhiata ai tuoi sintomi attuali e vedi quale mangime per animali può contribuire a quell'energia.

I polli commerciali, ad esempio, sono animali molto tesi. Gli individui con insonnia e ansia si trovano spesso a mangiare quantità decenti di pollo. Sì, entrano in gioco altri fattori, ma abbastanza spesso ho visto questa tendenza per menzionarla qui. La maggior parte delle persone è meno nervosa dopo aver aumentato l'assunzione di pollo. Quando lavori in un armadio e ti senti schiacciato dalle richieste aziendali, diventa ancora più soddisfacente smettere di pollo.

Un altro esempio: considera di evitare il tacchino se ti senti confuso o sessualmente imbarazzato senza alcuna reale soddisfazione. Condividerò solo che la riproduzione del tacchino allevato in fabbrica richiede qualche strana interazione sessuale senza entrare nei dettagli grafici!

Potresti voler stare lontano dai latticini se hai difficoltà ad accettare le benedizioni. Molte persone raccolgono il dolore di mamma mucca che il suo latte va da qualche parte oltre al suo vitello. Invece, rifiutando le benedizioni valide e le ricchezze che arrivano, si incolpano di "aver rubato".

Quando ti denunci personalmente come un assassino o qualcuno che ha commesso un crimine orribile e impunito, smetti di mangiare tutti i prodotti a base di carne di maiale (compresa la pancetta) e guarda cosa sta succedendo. I maiali hanno l'intelligenza dei bambini di tre anni. Mentre mangiano prosciutto, salsiccia, pancetta, costolette o braciole di maiale, le persone la cui psiche riferisce la loro conoscenza potrebbero provare una bassa autostima.

4) Mangia frutta cruda, bacche, noci e semi. Mangerai meno prodotti animali in modo naturale e tutti questi enzimi ti daranno la forza e l'intuizione per far fronte ad altri fattori emotivi. Qualunque altra cosa mangiate, godrete di frullati di frutta e verdi, nuove insalate e cacao crudo. Aggiungi semplicemente questi elementi per sentirti più abbondante che mancante.

Il cibo era la radice di tutte le lotte mentali o emotive? Ovviamente no! Ho trovato un'ampia gamma di fattori scatenanti non intenzionali, ma anche piccoli cambiamenti possono avere un enorme impatto sull'empatia animale.

CAPITOLO CINQUE

Empatia nel guidare gli adolescenti verso la felicità e l'appagamento professionale

Cosa saranno i nostri figli quando cresceranno? Per molti è ancora lo stesso che per noi andare al college e laurearsi? Tutti i nostri figli diventeranno dottori e avvocati? Una delle cose più importanti da tenere a mente è che con gli impressionanti progressi tecnologici, molti dei lavori che i nostri figli non dovranno nemmeno ancora esistere. Ma una cosa che dobbiamo insegnare ai nostri ragazzi a pensare fuori dagli schemi è certa.

Dobbiamo prima essere in grado di identificare i nostri punti di forza e di debolezza per pensare fuori dagli schemi come genitori. Come diceva Goethe: "Da coloro che amiamo, impariamo meglio". Siamo contenti delle nostre attività professionali? Vivi e insegna l'amore per il mestiere! Mi è stato lasciato un lavoro molto stabile per fare buoni soldi per avviare la mia società di divorzio e genitorialità. È stato spaventoso? La risposta è un sonoro sì, ma il mio intento, se vuoi, è quello in cui sono bravo. Dobbiamo aiutare a trovare il loro per i nostri figli. Come lo faremo? Aiutali prima a riconoscere i loro punti di forza. Dovresti assumere un tutor di matematica se tuo figlio non riesce in matematica ma riceve una A in inglese?

La ricerca dello psicologo Martin Seligman dice no. Invece, suggerisce di avere tuo figlio in un corso di scrittura creativa. Incoraggi i punti di forza unici del tuo bambino. La ricerca sull'istruzione arriva agli stessi risultati che si concentrano sui punti di forza relativi dei bambini piuttosto che impegnarsi nei loro difetti.

Quali sono i punti di forza di tuo figlio? Vedere tre bambini mi ha aperto gli occhi su quanto siano diverse le persone dalla nascita. Avevamo una laurea in psicologia avanzata, quindi abbiamo pensato di essere in grado di plasmare e plasmare i nostri figli come genitori. In una certa misura questo è vero, ma tutti i miei figli sono persone molto diverse con punti di forza diversi. Costruisci un college professionale per i tuoi ragazzi che possa includere idee, immagini, parole di cose che gli piace fare. Quindi cerca un lavoro che ne approfitti. È incredibile la giovane donna che mi taglia i capelli. Ha ventun anni e la capacità di tagliare e acconciare i capelli è davvero dotata.

Suo padre e sua madre hanno entrambi lauree avanzate. E al college, sua figlia non è mai andata bene e non le è mai piaciuto. Guadagna sessanta dollari l'ora a ventuno. Ha ore di versatilità e usa la sua innata immaginazione. Ha trovato la sua passione professionale ed è sia felice che di successo. Ma ci sono voluti anche i suoi genitori per essere flessibili e abbracciare le sue aspirazioni invece di chiederle di perseguire le loro.

E se quando crescono, tuo figlio non sa cosa vuole essere? Sostieni lo studio e comprendi. Molti sondaggi online aiutano le persone a definire i loro tipi di personalità e a quali occupazioni portano queste caratteristiche. La scala degli interessi di Myers Briggs è una delle mie preferite. Chiedete ai giovani cosa stanno facendo. Visita ed esplora un centro professionale universitario locale. Lascia che incontrino una varietà di cose per iniziare a capire le loro simpatie e antipatie. L'Holland Code è stato sviluppato da John Holland, un consulente professionale. Viene utilizzato in tutto il paese da college e consulenti professionali. Molte persone possono essere raggruppate in sei gruppi nella sua teoria.

Realistico è il primo. Ad alcune persone piace stare all'aperto e lavorano con esperienza in ingegneria, sport e manuali. Sono gli agenti. Il secondo sono le forme di indagine. Possiamo lavorare da soli e discutere pensieri e problemi. In matematica e capacità analitiche, possono avere punti di forza. Investigativo, piuttosto che pensato. Secondo, abbiamo stili di musica. Queste persone sono artistiche, destrutturate e innovative, come il mio parrucchiere. Tendiamo a essere diretti dalle loro emozioni. Creazione artistica simile. Poi c'è il tipo di società. scegliamo di essere intorno agli altri e di supportarli positivamente e di contribuire al meglio della società. Sembriamo essere buoni comunicatori e dieci estremamente empatici. Alle società piace prendersi cura. Invece, veniamo agli uomini d'affari. Eccelliamo in ruoli di leadership, gestione e persuasione. Preferiamo essere competitivi, a nostro agio con se stessi e ci piace essere decisori. In definitiva, il codice olandese afferma che esiste lo stile tradizionale di una persona. Preferiamo eventi pianificati e coordinati. Ci piace avere una chiara comprensione delle aspettative e seguire le procedure che sono state sviluppate. Potremmo avere buone capacità numeriche e verbali. Sono i pianificatori.

Devono aiutare i nostri giovani a capire chi sono e vedere le loro personalità uniche per iniziare a esprimere i loro sogni per una carriera. Soprattutto, dobbiamo lasciare andare ciò che riteniamo che dovrebbero fare sulla base di percezioni obsolete e accettare i loro interessi professionali in modo che non solo possano eccellere ma anche cercare la loro realizzazione professionale.

Il sollievo dalla fatica emotiva di Empath Blues

"La stanchezza decisionale si riferisce al calo delle prestazioni delle decisioni individuali dopo una lunga sessione decisionale". Questa teoria è stata ampiamente studiata in psicologia dove le persone, inclusi i giudici per esempio, che devono prendere molte decisioni come parte del loro lavoro quotidiano, si stressano nel tempo e tendono a prendere decisioni peggiori nel corso della giornata. La mente si stanca e trova difficile valutare i compromessi, un'abilità decisionale vitale.

Allo stesso modo, le informazioni emotive costanti che devono gestire possono innescare eccessivamente gli empatici. Ciò è particolarmente vero per gli empatici con disabilità, che hanno difficoltà a controllare il flusso di sentimenti che ricevono dalle altre persone. Il lavoro straordinario può diventare incoerente nella loro capacità di rispondere in modo appropriato alle emozioni, lasciandoli impotenti e depressi.

Potresti iniziare a sentirti triste sotto un incantesimo di Empath blues senza sapere perché. Avrai anche maggiori probabilità di sentirti giù nel corso della giornata, svegliarti bene la mattina ma avere un calo delle tue emozioni positive nel corso della giornata. La depressione empatica è solitamente temporanea, ma se lasciata incustodita può diventare cronica. Si prega di notare che chiunque si senta depresso per lungo tempo può soffrire di depressione clinica e dovrebbe cercare immediatamente assistenza medica e terapia terapeutica.

Quindi cosa puoi fare quando sei in preda al blues di Empath? C'è un malinteso molto comune che cercare di essere "più felici" sia la cura per l'esaurimento psicologico. In altre parole, dovresti provare a pensare in modo positivo, anche se ti senti completamente schifoso. Sei mai stato con qualcuno che cercava di tirarti su di morale mentre ti sentivi triste? Vuoi che stiano zitti e se ne vadano, nonostante i loro migliori sforzi.

Questa reazione ha perfettamente senso se si considera la quiete emotiva, che è l'assenza di emozioni forti, necessarie per alleviare l'esaurimento emotivo. Sentirsi felici è un'emozione forte e forti emozioni, sia positive che negative, è ciò che in primo luogo ha innescato la stanchezza emotiva! Non solo, ma ci vuole un grande sforzo per cercare di rallegrarsi immediatamente se ti senti triste. Stai cercando di saltare all'estremità opposta (felicità) da un'estremità dello spettro emotivo (tristezza) mentre sei svuotato, quindi è più probabile che tu cada piatto sulla tua testa a metà salto.

Molti empatici non hanno familiarità con lo stato di quiete emotiva necessario per affrontare l'esaurimento emotivo. Siamo così abituati a essere trascinati nella direzione emotiva di tutti i tipi che sentire niente è sempre confuso con sentirsi morti e vuoti. Si chiedono se c'è qualcosa che non va. Eppure, per il cervello, questo non è diverso dal sonno! Abbiamo bisogno di tempo per esaurire il corpo, la mente e le emozioni.

Un empatico è spesso, per fortuna, creature molto intuitive. Sono attratti da ciò che è meglio per loro. Ecco perché se sei un empatico, nei quattro modi più potenti per alleviare l'esaurimento emotivo, probabilmente capirai alcuni dei tuoi impulsi.

Essere soli: gli empatici vogliono tempo da soli in cui hanno meno probabilità di reagire alle emozioni degli altri intorno a loro. Non significa che sei antisociale e alla gente non piace! Questo significa semplicemente che devi fare rifornimento prima di tornare sul pianeta. Assicurati di avere un sacco di tempo da solo per fare qualcosa che non sia stressante come lavorare a maglia, giardinaggio, cottura al forno, ecc. Mi piace giocare ai videogiochi che richiedono una strategia, ma non ho trigger emotivi. Essere creativo!

Essere nella natura: la maggior parte degli empatici sperimenta sentimenti di pace nella natura, tra gli alberi e in grandi specchi d'acqua come l'oceano o un lago. Buone ragioni per questo! Quando si tratta di vibrazione emotiva, gli alberi e l'acqua forniscono un perfetto "rumore bianco". È come indossare una maschera che annulla il rumore per bloccare le emozioni delle persone. Cammino per casa mia per 5 miglia a settimana nei boschi, ringiovanendomi ed energizzandomi per la giornata.

Essere fisicamente attivi: spostando la tua attenzione dai sentimenti e nel tuo corpo fisico, l'attività fisica può fornire una grande protezione contro l'esaurimento emotivo. L'attività fisica deve essere sufficientemente impegnativa per i nostri scopi da garantire la tua piena attenzione. L'arrampicata su roccia e lo yoga erano le mie pratiche rilassate emotivamente preferite.

Meditazione: la meditazione è un modo potente per dirigere l'attenzione lontano dagli altri. Questo può essere molto difficile per gli empatici che preferiscono fare il check-in con gli altri in ogni momento. All'inizio può sembrare scomodo o difficile. Ma essere in grado di creare uno spazio tranquillo dentro di te, sia concentrandoti sul tuo respiro o seguendo una meditazione audio guidata, ti darà lo spazio di cui hai bisogno per rilassare la tua mente e il tuo fragile sistema emotivo.

CAPITOLO SEI

Come ti guarisci da solo?

L'auto-guarigione è un grande concetto sia nella cultura olistica della guarigione che nel mondo positivo della guarigione. Per essere in grado di guarire da soli, non è necessario essere sintonizzati su alcun tipo di guarigione. È utile e una buona aggiunta alla tua cassetta degli attrezzi per la tua capacità di influenzare positivamente la tua vita, ma non è necessaria.

Si tratta di affrontare i problemi da un livello di auto-guarigione mente-corpo-spirito su una base olistica di guarigione nella tua vita Cominciamo con i principi del cervello. Ad esempio, lavori su un problema di una relazione sentimentale nella tua vita e devi concentrarti sull'auto-guarigione. Affinché questo sia veramente compreso e risolto, devi prima considerare dove si trovano i problemi nella questione dell'amore insieme ai tuoi problemi. Devi prima amare te stesso. Dovresti abbracciare te stesso, tutte le cose, anche quelle che non ritieni siano buone o mutevoli, e accettare tutto di te stesso.

Per la parte del corpo, puoi iniziare inviando l'auto-guarigione al tuo corpo fisico e al tuo problema d'amore che vuoi affrontare se sei stato sintonizzato su una forma di energia per la guarigione. È un sistema di due fasi. Se non eri in sintonia con alcuna forma di energia, in questo modo puoi comunque guarirti. Siediti in una stanza tranquilla, rilassa il corpo e la mente e inizia a respirare profondamente. Rifletti e rallenta la respirazione. Metti le mani sopra le cosce e concentrati sul tuo corpo e respira. Questo rilassa i campi energetici del tuo corpo fisico e li rallenta per iniziare il loro processo di auto-guarigione.

Puoi lavorare su cose come meditare per te stesso e sulla questione del tuo amore per la dimensione spirituale. Inizia a tenere un giornale e annota tutte le cose su cui vuoi concentrarti per te stesso e per il tuo problema d'amore di auto-guarigione. Quando vuoi pregare, invece di meditare, puoi iniziare attraverso la meditazione.

L'autoguarigione riguarda tutti gli aspetti e sotto tutti gli aspetti concentrarsi sul proprio corpo. Non è solo un modo giusto e l'altro sbagliato, ma un modo totale per concentrarti su te stesso, sulla tua guarigione e sui luoghi che ti influenzano oggi!

Semplici tecniche di autoguarigione

Ognuno di noi in un percorso di crescita personale ha bisogno di una cassetta degli attrezzi di strategie semplici, efficaci ed efficienti per aiutarci a sbarazzarci e andare oltre i nostri problemi e blocchi. Alcuni dei miei punti salienti sono i seguenti: POSIZIONE YOGA PER LA CALMA E IL SONNO • Sdraiati sulla schiena e sdraiati sulla caviglia destra con la caviglia sinistra.

• • Con il braccio destro in alto, le mani sotto gli assi e i pollici in alto, incrocia le braccia.

• • Concentrati dolcemente solo sulle sensazioni fisiche del corpo, inclusi formicolii e contrazioni.

• • Assicurati di utilizzare la tua tecnica preferita di rilassamento della respirazione.

• • Prendete posto per 10 minuti, mettete i polpastrelli dopo aver sciolto le caviglie nella posizione di preghiera. Conserva per un minuto il posto.

• • Nota che ti senti calmo e che pensi con chiarezza.

IL POTERE DI ADESSO Concentrati sui tuoi cinque sensi.

• • Cosa puoi vedere di te? Guarda il colore, la forma, la lunghezza, la luce, l'ombra, ecc. • Chiudi gli occhi e sii consapevole di tutti i suoni intorno a te.

• • Notare le sensazioni fisiche nel corpo: comfort o meno di vestiti e scarpe, temperatura, pressione della sedia / cuscino contro la pelle, ecc.

• •Cosa ti piace?

Durante il momento attuale, quando la tua attenzione è al 100%, non ti importa del passato o del futuro e non puoi sentirti ansioso. L'ansia è un'ansia che è stata spostata in avanti.

Il corpo conserva una memoria biologica di tutti i traumi che ha vissuto, sia fisici che emotivi. Non è rimasto dolore nel corpo in cui è stata affrontata la fonte della lesione. E, quando nel corpo sono presenti lesioni e pressioni irrisolte, il dolore fisico associato al problema può essere rilevato. Se impariamo solo ad ascoltare le loro parole, i nostri corpi ci parlano chiaramente. Oltre al linguaggio dei legami tra la mente e il corpo, può avvertirci in qualsiasi parte del corpo che è ancora aggrappato a un'esperienza specifica o che richiede la nostra attenzione.

Puoi rilasciare e quindi superare le emozioni intrappolate semplicemente calmando la tua mente, concentrandoti su un'area di dolore del corpo e avendo l'obiettivo di respirare energia in quell'area. Per un maggiore comfort e calore, potresti anche mettere le mani sulla zona interessata.

Esercizio: pensa a una domanda che ti ha turbato. Immaginalo vividamente e fatti un'idea di quale parte del tuo corpo si è aggrappata al disagio di questo problema. Fatti un'idea di come si sente questo dolore nella tua mente. Ricorda il livello di disagio su una scala da 1 a

10. Concentra l'espirazione sull'area per almeno 10 minuti o finché non ottieni un rilascio. Rileva il resto del livello di disagio, idealmente il dolore sarà completamente scomparso.

PENDULAZIONE

Funziona facendo uso dell'esperienza traumatica del corpo e dell'esperienza di resilienza del corpo per creare uno stato stabile. Incrocia avanti e indietro tra le posizioni di tensione, costrizione e dolore e di espansione relativa nel corpo per pendolare.

- Per prima cosa, scopri ed esplora un ambiente di relativo disagio, quindi trova un luogo lontano, o senti il più diverso da, disagio e tensione.

- Vai avanti e indietro e concentrati su ciascuna delle due posizioni del corpo.

- Aggiungi il tuo respiro dopo. Concentrati sull'area di relativo rilassamento mentre inspiri; concentrati sull'area di pressione relativa mentre espiri (inverti l'ordine se funziona meglio) • Ripeti questo processo almeno 4 volte, inspira comodamente o in espansione, espira la tensione.

- Potresti scoprire che il dolore iniziale è diminuito drasticamente o è scomparso completamente.

CHIEDENDO AL CUORE Chi VUOLE

Se chiedo alle persone dove pensano che sia la loro anima, la maggior parte delle persone si metterà immediatamente la mano sul cuore. Il cuore sembra essere la porta dello spirito. Di 'al tuo cuore di cosa ha bisogno quando devi prendere una decisione, e questo probabilmente rifletterà la risposta della tua anima. Ho usato ripetutamente la seguente strategia e ho imparato a fidarmi delle risposte che indirettamente ottengo in questo modo, anche se la mente razionale, analitica o l'ego sta cercando di dirmi qualcos'altro.

Rilassati in un luogo tranquillo dove per almeno 10 minuti non sarai disturbato e respira profondamente per rilassare e calmare la mente. Rifletti sul cuore come osservatore e inizia ponendo una domanda che è un'ovvia risposta sì o no, come "Il mio nome è Daffy Duck?" La risposta dei sentimenti del cuore può variare da persona a individuo, ma di solito una risposta "Sì" indurrà una sensazione di rilassamento ed espansività nel cuore, mentre una risposta "No" provocherà una sensazione di pesantezza e / o contrazione. Per imparare come il tuo cuore / anima interagisce con te, fai alcune domande con risposte chiare sì o no. Quindi sei pronto per chiedere qualcosa che ti piace che necessita di una risposta sì o no e dovresti essere in grado di distinguere tra i due.

TECNICA DI RILASSAMENTO PROGRESSIVO

Ciò è particolarmente utile per le persone che hanno difficoltà a rilassarsi o semplicemente iniziare la meditazione. comodamente sdraiato sulla schiena porta la tua attenzione ai tuoi piedi alla fronte e ai muscoli del viso alle parti principali del tuo corpo a turno. Blocca ogni area più che puoi in serie, quindi lascia che si rilassi e si rilassi.

Una sequenza consigliata di stress e rilassamento sono le arcate del piede, i muscoli del polpaccio, i muscoli del collo, i polpacci, i glutei, le braccia, gli addominali lombari, i muscoli del viso e della fronte.

MEDITAZIONE

La meditazione implica un distacco dei sensi esterni e una sottomissione a un potere interiore. La condizione meditativa chiamata stato alfa, è uno stato di coscienza alterata altamente rilassato tra la veglia e il sonno.

Esistono molti tipi diversi di meditazione e giocare con tutti loro in varie occasioni è una buona idea per mantenere la disciplina:
-Ripetizione del mantra, come "ohm" il suono dello sviluppo o la parola chiave di un'affermazione come "fiducia". Mantra. aiutano a disattivare l'intervento cognitivo e sono consigliate in particolare ai praticanti di meditazione.

Esercizi di respirazione, menzionati sopra, che concentrano la mente sul respiro - Concentrazione su un oggetto fisso, come una fiamma di candela - Contemplazione silenziosa al posto della Natura - Meditazione di insight che coinvolge il sé superiore per risolvere problemi e fornire risposte. La meditazione di insight è molto efficace per chiarire i problemi che sono stati complicati dall'ego e dalla mente cosciente.

Concentrarsi su un punto in un fiume visto da un ponte è una buona meditazione introduttiva. Quando i frammenti (pensa) galleggiano lungo il fiume, identificali e guardali passare sotto il ponte. Non tentare durante la meditazione di interrompere attivamente i tuoi pensieri. Attraverso la pratica quotidiana regolare, gli effetti della meditazione si accumulano nel tempo.

PROBLEMI DI TRASMISSIONE AGLI ANGELI

Per quelle persone che credono negli angeli, è molto utile raccogliere tutta l'energia di un problema con cui hai a che fare in una palla e poi consegnarlo attivamente agli angeli per risolverlo per il bene più alto e restituirtelo a una frequenza più alta quando lo fanno. Consente di affrontare i problemi a un livello superiore e in modi molto più creativi che la maggior parte di noi ritiene fattibili. Divertente affrontare i fastidiosi problemi dell'amicizia!

Come integrare l'autoguarigione nella tua vita quotidiana

Durante la nostra vita quotidiana, tutti noi abbiamo i nostri alti e bassi, ci godiamo gli alti ma non i bassi. Ciò che affrontiamo con entrambi è cruciale, in entrambi i casi, possiamo usare ciascuno di quei momenti per aiutarci a crescere. Possiamo essere felici o troppo eccitati se accadono cose positive e accrescono il nostro ego. Se accadono cose negative, possiamo calmarci e guardare il quadro più ampio o arrabbiarci molto e perderci nel nostro dramma. La nostra saggezza ed esperienza nell'affrontare le situazioni fanno la differenza tra la scelta di ciascuna direzione. La conoscenza porta intuizione e quando avremo una comprensione di base del potere dell'auto-guarigione, arriverà la migliore esperienza.

È importante capire come funziona la legge di attrazione per comprendere il potere dell'autoguarigione. Siamo responsabili della creazione delle nostre esperienze, che ci piaccia o no, attingiamo cose buone e cattive nelle nostre vite. Questo diventa meglio compreso man mano che acquisiamo esperienza nell'applicazione dell'autoguarigione ma, per cominciare, scienze come la fisica quantistica hanno mostrato come le particelle si comportano secondo l'osservatore.

Usando la legge di attrazione come guida, quando attiriamo i momenti giusti della nostra vita e poi ci sentiamo eccitati di conseguenza, possiamo vedere quando facciamo del bene per noi stessi. Quindi imparare a sfruttare questo potere diventa la sfida. Quando sperimentiamo eventi negativi, significa solo che dobbiamo concentrarci su noi stessi, ed è allora che dobbiamo imparare a curarci. Anche una persona molto equilibrata sperimenterà eventi negativi, abbiamo tutti problemi su cui lavorare, ecco perché siamo qui!

Se possiamo assumerci la responsabilità di un evento negativo e vedere cosa dobbiamo fare, possiamo ribaltarlo per ottenere slancio ed energia positiva da esso. Il primo passo è abbandonare le nostre difese e il nostro ego quando proviamo dolore per un caso. Quindi abbiamo bisogno di sentire il dolore e discuterne con i nostri sentimenti, il che in effetti aggiungerebbe una grande quantità di energia alla nostra coscienza, dove possiamo vedere tutto su una base migliore. Andando avanti con questo, se siamo preparati, possiamo lasciar andare le nostre paure. Quando avremo successo, solo parzialmente, insieme a un senso di fiducia ed energia, proveremo un sollievo. Non provocheremo più questo tipo di cose negative nelle nostre vite quando saremo in grado di curarci completamente.

Possiamo vedere la forza che diamo a noi stessi mentre ci curiamo dai nostri eventi negativi e diventerà dipendenza. Tutto ciò di cui abbiamo bisogno è prendere il tempo per fare un passo indietro e concentrarci su noi stessi piuttosto che rispondere al nostro ego, anche se la reazione è interna. Man mano che impariamo da noi stessi, acquisiamo molta comprensione e persino empatia per gli altri che potrebbero trovarsi ad affrontare gli stessi problemi che abbiamo avuto noi. Ma fino a quel punto, potremmo provare risentimento verso gli altri che rispondono come i modi in cui ricordiamo ciò che non ci piace di noi stessi. Questo è un segno proprio lì che dai nostri drammi i nostri desideri principali sono di conoscere e svilupparsi.

Si allineano anche con uno scopo più elevato mentre perseguono i nostri desideri più profondi di guarire noi stessi. È allora che possiamo iniziare a vedere come la regola dell'attrazione può aiutarci a portarla al livello successivo. L'auto-guarigione aumenta il nostro impulso di energia mentre interagiamo di più con il mondo che ci circonda, aggiungendo esperienze più mirate per guidarci. Sono fenomeni di sincronicità e quando li ricordiamo è molto eccitante perché pensiamo di essere collegati a un mondo più grande.

Quindi la prossima sfida è far fronte all'anticipazione. L'eccitazione arriva in un tipo di potente energia, la maggior parte delle volte sarà scoraggiante che tutto ciò che possiamo fare è dare a noi stessi una spinta soddisfacente all'ego. Ma il dilemma qui è che tutto ciò che sale deve scendere. Lasciarsi stimolare dall'ego sposta la nostra attenzione quando le attività di sincronicità stanno rallentando. Il motivo per cui alla fine entriamo in una spinta dell'ego è che abbiamo anche problemi a lavorare per questo scopo, in cui l'orgoglio è il prodotto della sopraffazione delle insicurezze che possiamo avere. Una volta che possiamo lasciare andare il nostro ego in qualche modo, allora sotto forma di gratitudine è più facile lasciare che l'energia fluisca in tutto il nostro corpo. Ogni parte del processo richiede che siamo consapevoli del nostro ego in cui dobbiamo essere consapevoli di noi stessi. È un problema positivo piuttosto che negativo. Quindi usiamo gli stessi metodi di auto-guarigione di quando affrontiamo problemi negativi.

Pertanto, non solo è utile ma anche necessario incorporare l'auto-guarigione nella nostra vita quotidiana se vogliamo liberarci dai nostri problemi. Disegniamo i nostri problemi e per evitare i loop infiniti dobbiamo aggiustare cosa c'è dentro. Sembra noioso, ma non quando iniziamo a vedere i benefici e i passi verso una nuova realtà. Riguarda le condizioni in cui ci è permesso vivere e abbiamo il potere di cambiarle.

Questo è un modo chiaro di pensare che possiamo estendere a ogni aspetto della nostra vita e, quando lo facciamo, avremo più successo in tutto ciò che facciamo. L'unica cosa che vogliamo tutti di più è l'amore se possiamo concentrarci su di esso e svilupparlo, sarà ancora meglio. È sia la nostra fonte di potere che la nostra relazione con un universo sacro. L'amore non si trova, è una forza divina che vuole uscire in noi, ma è vincolata dai nostri blocchi che devono essere risolti!

CAPITOLO SETTE

Risveglio psichico

Il risveglio psichico può sembrare l'esperienza di un momento che ha effetti di lunga durata, ma tale esperienza è tipicamente il culmine di molte ricerche che alla fine "scattano" in posizione.

C'è sempre la questione di "svegliarsi a cosa?" - l'esperienza di risveglio psichico integrata crea una nuova "persona", un livello di consapevolezza più elevato rispetto al quale le esperienze di vite passate appaiono come sonnambulismo. Come può essere innescato un risveglio spirituale? Sogna audacemente, pianifica completamente, concentrati completamente, lavora costantemente, riposa profondamente. Riguarda l'equilibrio.

Un "campanello d'allarme" è simile all'esperienza del risveglio; accade quando un'influenza esterna ci sbilancia e ci fa vedere noi stessi e il mondo con occhi nuovi (anche se solo brevemente). Poiché l'esperienza del "campanello d'allarme" di un così breve risveglio mentale non è supportata da un lavoro e un progresso coscienti, non dura molto prima del "ripristino" alla normalità.

Quando avanzi, puoi vedere che hai bisogno di risvegliarti a molti diversi stati e stadi di coscienza. È naturale oscillare tra lo stato desiderato e lo stato normale prima di incorporare e padroneggiare uno stato. Un tale avanti e indietro, però, ha il suo pedaggio. Non aver paura degli sbalzi di umore, ma non lasciare che ti tirino fuori strada.

Il desiderio di "risveglio psichico" diventa dopo un po 'un desiderio di "dominio psichico". Non c'è più la dualità di essere svegli o meno, ma come se diversi fasci di luce convergessero in una sala di specchi pulsanti e si rifrangevano da tutte le parti, esponendo forme meravigliose.

Risveglia i poteri nella tua mente

Una volta che hai deciso che vorrai approfondire le energie della tua mente, buone notizie per te: sei già un sensitivo! Un dono del cervello umano è la capacità di interpretare la conoscenza oltre i cinque sensi.

Per ottenere una maggiore sensibilità e accuratezza psichica, tuttavia, devi prima capire qual è il tuo dono più grande. Rimarrai deluso se hai l'impressione stereotipata di sensitivi che vedono e sanno tutto. Non è così che funziona.

In alternativa, in una regione un sensitivo può avere un dono potente o in molte aree doni relativamente forti. Ci sono anche molti diversi tipi di abilità psichiche. Possiamo interpretare la conoscenza attraverso i nostri sensi fisici attraverso il nostro "occhio della mente" (chiaroveggente), il nostro "orecchio della mente" (chiaroudiente) o anche "allucinazioni fantasma" (ad esempio, visione chiara o "odore chiaro").

Le abilità sopra menzionate non sono nemmeno tutti i tipi di doni psichici che si potrebbero possedere. Se vuoi diventare sensitivo, il primo passo è ricercare la varietà di abilità psichiche manifestate e provare a determinare che una o più è la tua migliore.

Devi esercitarti ad usarlo una volta che hai trovato il tuo punto forte. Ad esempio, se sei chiaroudiente, dovrai imparare a meditare per liberare la tua mente dal suo rumore normale e aprirti e "ascoltare" le informazioni sensoriali che ti arrivano.

Quando possibile, avere un allenatore o un istruttore esperto al tuo fianco è sempre il modo migliore per imparare come allungare i muscoli mentali. Puoi anche acquistare diversi materiali di apprendimento audio per aiutarti nella ricerca. Entrambe le tecniche ti insegnano come proteggere il tuo potere dalle forze negative che potrebbero volerti legare quando vedono che sei aperto alle loro trasmissioni e sono cruciali per imparare a diventare sensitivo.

Questa è probabilmente la parte più complicata dello sviluppo psichico. Una volta che il tuo cervello è sia un destinatario che un mittente del messaggio, assorbe sia i dati che l'energia senza discriminare tra "il bene e il male" a meno che tu non imposti consapevolmente un filtro.

Quindi, muoversi lentamente è il miglior consiglio su come diventare sensitivi e liberare tutti i tuoi poteri mentali. La pazienza è necessaria per questo processo. Trova e avvia un mentore o una sorta di pratica! Sei già un sensitivo. Hai solo bisogno di valutare e iniziare a costruire i tuoi punti di forza. Il viaggio ne vale la pena e la ricompensa diventa più spirituale di quanto tu possa mai immaginare!

RISVEGLIO DELLE ABILITÀ PSICHICHE - CHE COSA SAPPIAMO I SONNO

Pensi che dovresti migliorare le tue capacità mentali? Li abbiamo tutti a un livello inferiore o superiore perché lo studio della fisica quantistica ha dimostrato che siamo tutti legati all'universo. Nel film "What the Bleep Do We Know", è stato sottolineato un punto affascinante che proprio la cosa (le nostre menti) che percepisce il mondo materiale intorno a noi è intangibile in sé. La ragione di ciò risiede nel modo in cui funziona la mente cosciente del nostro pensiero. Non è la "carne del cervello" che permette il pensiero, ma l'ologramma che il cervello crea dentro (e intorno) al nostro cranio.

Considerare questa idea ci aiuta a capire la probabilità di abilità psichiche. L'intero universo è costituito da atomi ed elettroni che vengono informati dalle scoperte moderne "entrano ed escono dall'esistenza". In altre parole, nel tempo e nello spazio, il mondo è senza tempo e l'ologramma del nostro sé di pensiero è solo un'altra rappresentazione di questo processo. Siamo tutti imparentati, quindi.

Altri esperimenti hanno dimostrato che l'ologramma del cervello è molto efficace. Una volta gli scienziati stavano fuori dalla stanza di una donna morente, collegati ai loro dispositivi di monitoraggio dell'attività cerebrale. Pregò profondamente mentre si avvicinava la fine della sua vita, ma la cosa più interessante era che le prestazioni della sua attività cerebrale registravano una forza molte volte maggiore dell'emissione più forte della tua torre radio locale. Pertanto, nel mondo, siamo tutti imparentati.

Possono essere più consapevoli di questa relazione rispetto al resto di noi che distingue il sensitivo. La domanda rimane quindi: la stessa conoscenza può essere compresa "dal resto di noi?" Qualcuno può essere sensitivo?

Potrebbe essere equivalente a girare una TV o una radio per attivare le capacità psichiche. È necessario trasformare entrambe queste cose in una banda o frequenza specifica per ottenere il software necessario. Il cervello olografico dell'essere umano non è diverso. Hai mai saputo che qualcuno ti sta guardando o è preoccupato per te? Hai sentito che il telefono sta per squillare o sta per succedere qualcosa di strano e lo fa? Questi sono esempi molto piccoli della sintonizzazione del nostro cervello su una particolare frequenza dell'universo. In primo luogo potrebbe rilevare l'attività cerebrale di qualcun altro che si concentra su se stesso. Nel secondo, si sta trasformando in un mix di produzione di energia molto più ampio.

I sensitivi sono persone che hanno una capacità naturale di diventare consapevoli dei molti "segnali" che di solito si ottengono a livello subconscio o hanno sviluppato deliberatamente l'abilità necessaria. Altri coltivano questa abilità durante la pubertà, mentre altri hanno un risveglio improvviso e piuttosto terrificante nella vita in seguito. Si sospetta che questa condizione sia associata alla ghiandola pineale, nota anche come "terzo occhio".

La linea di fondo è che chiunque abbia voglia di risvegliare le proprie capacità psichiche saprà che è a portata di mano con il giusto tipo di supporto.

Abilità psichiche utili

È molto importante all'inizio capire perché è importante sviluppare e utilizzare le tue capacità psichiche. Abbiamo tutti capacità sotto forma di psicocinesi come la telepatia, la chiaroveggenza, l'ESP e la mente diretta sul controllo della materia. La psicocinesi è una capacità psicologica molto importante perché permette di controllare la materia direttamente con il cervello. Possiamo vedere quanto questo sia importante per tutti gli ambiti della vita, specialmente quando si tratta di manifestare tutto ciò di cui abbiamo bisogno quando ne abbiamo bisogno e tutto ciò che desideriamo profondamente.

Abbiamo tutti speranze, sogni e aspirazioni che vogliamo manifestare e che in genere sono ostacolati per qualche motivo. Una volta che impariamo a usare la nostra mente psichica sui poteri della materia, questo blocco viene facilmente rimosso. È di questo che tratta questo capitolo. Le migliori informazioni che posso fornire su come i tuoi poteri psichici possono essere utilizzati e gestiti con successo provengono dalla sua esperienza personale. Oggi ho imparato la maggior parte di ciò che so sul risveglio e sull'uso delle abilità spirituali sotto forma di yoga, chakra, meditazione e lavoro con il libro di testo sacro noto come "This Is PK". Questo libro è uno dei modi migliori per imparare a lavorare con la psicocinesi e la mente in particolare. La psicocinesi o "PK" si riferisce esplicitamente all'energia della materia. Questo ci aiuta a trasferire oggetti a distanza, monitorare e manifestare attraverso risultati molto più facili, influenzare, guarire noi stessi e gli altri in modo naturale e attrarre facilmente qualsiasi cosa nella tua vita che sia necessaria o profondamente desiderata. Sono sicuro che puoi vedere quanto possa essere utile questa abilità psichica unica.

Quindi, siamo tutti nati con molte abilità psichiche. Questi includono la capacità di proiettare astrale in altri mondi in particolare durante il sonno, la capacità di manifestare pensieri e intenzioni, forze di guarigione naturali. Comprende anche poteri come la telepatia, la psicocinesi e la chiaroveggenza. Diverse volte, a seguito di determinate attività, queste capacità umane latenti vengono stimolate, risvegliate e attivate e anche semplicemente entrano in contatto con pura conoscenza o informazione. Ad esempio, alcune persone hanno sperimentato intensi fenomeni psicologici o mentali sulla materia immediatamente dopo essere entrati in contatto con determinate persone, dati o semplicemente facendo determinate pratiche come lo yoga, la meditazione o il lavoro sui chakra.

L'attivazione o il risveglio delle nostre capacità psichiche dipende in gran parte dalla nostra persona e dal Karma speciale. Forse leggere questo capitolo o dare seguito alle informazioni correlate risveglierebbe le tue capacità psichiche e / o le migliorerebbe. In ogni caso, vi posso assicurare che lo saprete e che non lo scambierete per nient'altro una volta sperimentata la vostra vera energia PK psichica. Tali talenti sono molto veri da testimoniare e molto interessanti.

Includendo yoga, chakra e pratica di meditazione, ci sono molti altri metodi per attivare e accendere automaticamente le nostre capacità psichiche.

È molto importante conoscere queste capacità poiché ci offrono l'accesso a un livello completamente nuovo di energia mentale e spirituale. E questa influenza influenza le nostre capacità di vita, risorse e tassi di buona fortuna. Molti di questi metodi sono affrontati e hanno un discreto successo nel libro di testo This Is PK. Le capacità psichiche stanno diventando più di ogni altra cosa un potere di sopravvivenza. In questo periodo, quando siamo tutti bombardati da così tanto materiale, l'intuizione profonda e la saggezza interiore sono più importanti che mai. Tali capacità possono essere di infinito valore per le nostre vite. Lo sviluppo di queste capacità superiori è, in sostanza, il primo passo per vivere bene in piena abbondanza.

Inoltre, attraverso lo yoga e la meditazione e l'allenamento dei chakra, il suo metodo preferito per affrontare le sue capacità psichiche e migliorarle al massimo. Per diversi buoni motivi, mi sento in questo modo. Prima di tutto, lo yoga è uno dei metodi di accesso più antichi ed efficaci del nostro sé superiore. I chakra sono il dispositivo di mappatura più antico e futuro della natura umana. Quando ho iniziato a lavorare con il mantra yoga e il Bhakti yoga di Sri Krsna, le sue capacità psichiche hanno iniziato a crescere come mai prima d'ora. Era come un fiore di loto che sboccia PK è molto importante da imparare perché la scienza moderna lo prende molto sul serio come un potere mentale che può manipolare la materia e persino influenzare i risultati influenzando il fattore "possibilità". PK è correlato al livello quantico di realizzazione e imparare a fare affidamento sui tuoi poteri PK è la chiave per una vera libertà personale e prosperità illimitata. In realtà, la ricerca sulla psicocinesi è diventata un argomento caldo molto importante tra le persone di tutto il mondo perché rivela la verità su ciò che può fare l'energia della nostra mente. È diventato anche un argomento così caldo poiché molte persone, me compreso, hanno avuto esperienze personali con PK e l'hanno vissuta in prima persona.

Quindi, ovviamente, stiamo cercando di saperne di più e saperne di più e stiamo trovando risposte. Una volta che sai che il tuo potere PK è vero, imparerai come usarlo e goderti una vita piena di tutto ciò che hai sempre desiderato e desiderato. A suo avviso, leggere il manoscritto This Is PK e la tua esperienza personale è il modo migliore per conoscere la verità su PK e come lavorare con le tue abilità psichiche.

CAPITOLO OTTO

Risveglia la tua intuizione e attiva i tuoi poteri psichici

Sviluppare la tua intuizione è un modo positivo per assumerti la responsabilità della tua vita e usare i tuoi poteri psichici interni per dirigere il tuo percorso verso una maggiore felicità e realizzazione. Seguono sette modi per risvegliare la tua intuizione e attivare i tuoi poteri psichici. Ognuno è progettato per aiutarti a superare i tuoi normali schemi cerebrali di pensiero. Per aiutarti a scavare più a fondo nei tuoi istinti e scoprire i tuoi poteri psichici, questi approcci combinano il processo di pensiero.

1. Apriti allo Spirito e accresci la consapevolezza del tuo mondo interiore attraverso la preghiera, la meditazione e un amorevole desiderio di vivere una vita di servizio a tutti gli esseri viventi e alla terra. Rimarrai scioccato dalle ricchezze e dalla felicità che proverai quando entrerai nel tuo mondo interiore. I bambini sono particolarmente abili nello scoprire i loro mondi interiori, quindi porta il tuo bambino - o il tuo bambino interiore - in un'avventura di meraviglie della meditazione e preghiera profonda.

2. Utilizzo di esercizi incrociati di facile esecuzione per creare le connessioni tra gli emisferi cerebrali destro e sinistro. Incrocia la mano destra sulla parte anteriore del corpo e tocca il piede sinistro 7 o 8 volte. Quindi incrocia la mano sinistra sulla parte anteriore del corpo e tocca sette o otto volte con il piede destro. Esegui i movimenti, ma questa volta passa il braccio sopra la schiena del corpo.

Usa la tua mano non dominata per fare cose, come aprire porte, lavarti i capelli o i denti o persino leggere. Stai anche generando più capacità intellettuali per la risoluzione di problemi e capacità di pensiero critico, oltre ad aprire più canali nella tua mente per l'intuizione.

3. La sensibilità di ciascuno dei tuoi cinque sensi. L'intuizione può essere chiamata il sesto senso, ma non possiamo aspettarci che il sesto senso sia acuto quando i nostri cinque sensi sono ottusi. Le nostre vite danno ai nostri cinque sensi una sandbox infinita. Metti insieme i cinque sensi. Inizia tenendo qualsiasi oggetto, come una pietra o un pezzo di stoffa. Con quell'oggetto, diventa intimo. Guardalo finché gli occhi non sono chiusi per vederlo. Quindi chiediti cosa ti piace del manufatto. Usa la tua immaginazione. Non è necessario mettere la sostanza in bocca e assaggiarla.

Mescola una volta che hai attraversato tutti i cinque sensi e chiediti domande come: di che colore è il tuo gusto? O com'è il suono del manufatto? Quindi vai al passaggio successivo e poniti domande come: se questa entità potesse parlare, che tipo di saggezza mi direbbe della mia vita?

4. Sii consapevole dei messaggi dello Spirito diventando più consapevole della vita in ogni momento. Per aiutarti a migliorare la

tua vita, sii aperto a ricevere conoscenze e consigli. La natura è un grande educatore intuitivo. Prenditi cura degli animali che incrociano il tuo cammino e di quelli alati che attirano il tuo sguardo. Quando rimani nel centro del Midwest e ti immergi in uno stormo di gabbiani intorno a te, ascolta. Ti viene detto di lasciar andare le tue paure e di risolverle?

La natura è viva con persone provenienti da rocce, alberi, creature albero e una moltitudine di altri che ci stanno ancora parlando. Dobbiamo solo ascoltare.

5. Registra e comunica con il più grande di te: Cristo, Dea, uno spirito guida, un angelo, il sé supremo di qualcuno che ami e di cui ti fidi e che è passato. Scegli di incontrarti regolarmente. È meglio meditare dopo la notte. Usa il tuo giornale bianco preferito e inizia a scrivere o disegna se sei uno studente visivo. Non importa cosa stai leggendo, scrivendo o disegnando e va avanti per circa tre ore. Di solito, ci vogliono circa tre pagine per risolvere gli ostacoli nella tua mente che ti impediscono di entrare nella tua esistenza più profonda.

Sentirai il cambiamento e scrivi una domanda una volta che hai finito, quindi scrivi la risposta. Scrivi semplicemente le parole che ti vengono in mente, non giudicare la risposta mentre leggi. Questo è un processo delicato. Non aspettarti di urlare. Credi in quello che sta arrivando. Torna più tardi e leggi quello che hai imparato. Rimarrai scioccato dall'intelligenza del mondo interiore.

6. Gioca con te stesso e altri giocatori intuitivi. Chiediti qual è la linea più veloce prima di metterti in fila in banca o al mercato. Raccogli un gruppo di foto di persone diverse dello stesso sesso, capovolgile e indovina quale immagine si trova dall'altra parte della fotografia. Per

stare al sicuro, usa il tuo intuito. Viviamo nella terra dei cervi. Rallentiamo ogni volta che sentiamo il cervo nelle vicinanze. Ovviamente, i cervi saranno dietro l'angolo o la prossima collina.

7. Lascia andare il potere e arrenditi alla parte di te stessa connessa allo spirito. Nessuno di noi controlla la vita, ma siamo responsabili delle nostre vite. Possiamo scegliere di avere la più completa esperienza della vita. O no. Per quello che abbiamo, possiamo scegliere di essere grati. O no. Possiamo scegliere di vivere una vita al servizio della nostra vita e della società nel suo insieme. O no.

Cercare di mantenere la presa è come cercare di fermare il flusso di un fiume. Prenderti carico della tua vita diventa il padrone del tuo destino, fluttuando lungo il fiume e ridendo fino in fondo, e permettendo al tuo istinto di guidarti verso una vita più soddisfacente e appagata.

Ci vuole tempo e pratica per compiere questi passaggi per risvegliare i tuoi istinti più profondi e attivare i tuoi poteri psichici. Sii gentile con te stesso e divertiti. Toccando il tuo istinto arriva al tuo momento.

Il modo migliore per sviluppare le tue capacità psichiche

L'aspetto subconscio di te stesso è sempre stato lì, ma non puoi capirlo se non guardi "fuori dalla porta". La consapevolezza del mondo si estende riducendo la paura dell'ignoto per acquisire la conoscenza degli altri nostri sensi. È allora che puoi iniziare a vedere il quadro più ampio della tua vita fisica e spirituale, un'evoluzione più elevata della realtà. C'è un sacco di amore e informazioni che ti aspettano là fuori. Una volta aperti i sensi psichici, si aprirà una finestra di opportunità per un bellissimo viaggio spirituale. Tutto ciò di cui hai bisogno è la capacità di essere disponibile, di apprendere, di liberarti dalle abitudini di pensiero precondizionate e di provare a fare un passo "fuori dagli schemi", come accennato in precedenza. Come per qualsiasi progetto che scegli di realizzare, devi combinare l'analisi con la formazione. L'argomento dell'apprendimento della capacità di lettura psichica intuitiva è un'enorme quantità di materiale. Approfitta di ogni opportunità per ampliare le tue capacità di crescita mentale con ogni possibilità che ricevi. Esponiti ai sensitivi e, se possibile, procurati una lettura psichica. Ricerca la meditazione e altri metodi di risveglio spirituale. Ci sono diversi seminari relativi a programmi di ricerca metafisica / spirituale che possono aiutarti a educarti nei campi che ti interessano. Per aiutarti ad ampliare la tua consapevolezza, trova un argomento che si adatta meglio alle tue esigenze e fatti conoscere il più possibile. Più visibilità ricevi, più osservando e imparando dagli altri migliorerai le tue capacità intuitive. Il seguente elenco di esercizi ti aiuterà a sviluppare i tuoi sensi superiori.

Inizierai ad affinare le tue abilità con un po 'di allenamento.

1) Inizia sintonizzandoti sui tuoi sensi fisici. Trova un posto tranquillo dove puoi essere libero di concentrarti su una varietà di scenari. Stimolare i sensi è l'obiettivo. Ciò contribuirà a sviluppare la tua maggiore fiducia nel progetto. Inizia con alcuni respiri lenti e profondi, chiudi gli occhi, rilassati e immagina un campo aperto coperto di fiori di campo. Immagina di poter assaporare il delizioso profumo dei fiori. Ascolta i dolci rumori della brezza mentre attraversa l'erba alta. Immagina l'aria fresca che ti scorre sopra dolcemente. Fa caldo? Forse un brivido ti sta attraversando la pelle. Ascolta in lontananza i suoni pacifici degli uccelli canori mentre ti perdi nei dintorni. Manifestate le vostre scene usando la vostra immaginazione e creatività. Diventa semplice con l'allenamento. Assicurati di prestare attenzione ai dettagli del tuo clima. L'esercizio ti aiuterà a usare i tuoi sensi naturali senza essere connesso al corpo. Quando esplori una gamma di aromi, concentrati sul tuo senso dell'olfatto. Sii fantasioso e divertiti mentre attingi alla tua immaginazione! Immagina la dolce essenza di una torta

di mele mentre cuoce, l'odore pulito del vento, dell'erba, della benzina, un giornale, della pancetta appena cucinata, del caffè preparato, di un pino e delle foglie dell'autunno. Sperimenta con una gamma di spezie sostanziose. Gli aromaterapisti fanno affidamento sui benefici di questo esercizio. Migliora la tua sensazione tattile. Immagina di tenere in mano un mazzo di petali dal fiore. Nota la consistenza satinata e liscia nelle tue mani, che è quasi senza peso. Quindi passare a un cubetto di ghiaccio. Sperimenta il brusco cambiamento nella temperatura fredda del cubo. Alterna questo esercizio tra le due emozioni separate. Dipende dall'esperienza fisica e tocca diversi oggetti.

Questo esercizio migliorerà le tue abilità psicometriche. Prova a tenere in mano il gioiello indossato di qualcun altro. Rilassati tenendolo in tasca. Senti l'energia del proprietario? Potresti persino cogliere le loro interazioni. Questo è diventato il mio primo metodo di apprendimento in una sessione di lettura psichica. (Questo esercizio migliora la percezione fisica della tua coscienza rispetto alla maggior parte degli altri esercizi.) È facile adattarsi al tuo senso dell'ascolto della musica. Progetto blues, rock n 'roll, bluegrass, cajun, latino, jazz e così via. Sperimenta il ritmo della musica e prendi il suono dentro di te, quasi come se fluisse letteralmente attraverso la tua anima. Vivi una ballata di sensuale jazz. Ascolta i testi, ascolta il ritmo e apprezza la scelta dell'artista di mescolare gli ingredienti musicali. Abilita un capolavoro classico per calmare il tuo corpo in uno stato di contatto completo. Cerca di differenziare la gamma di parti musicali articolate del brano. Infine, quando esegui questo esercizio, puoi aggravare la sensazione di ascoltare "sentire". Il tuo senso naturale della vista contiene innumerevoli opportunità di sviluppo. Guarda i riflessi abbaglianti nell'aria, guarda la luce mentre rimbalza tra le foglie degli alberi, nota le ombre. Di solito ti mancano le piccole "cose" con occhi diversi. Incorporate nella vostra vita l'importanza della luce. Un albero ha molti colori verdi, non solo uno. Ricerca il volto di una persona cara. Guarda i dettagli fini. Considera i post meno interessanti da vedere. Guarda fuori un bidone della spazzatura traboccante che giace sul lato della strada o una bottiglia rotta. Consenti al tuo cervello di assorbire tutto. Rifletti sulle stelle della notte mentre guardi il sole. Immagina di vedere le stelle sopra. Questo è così perfetto per la tua sintonizzazione spirituale. Anche il tuo senso del gusto è importante. Immagina un sapore di limone aspro, un buon caffè, cioccolato agrodolce, latticello, una birra ben invecchiata, frutta dolce, cibi piccanti, ecc. Prova una varietà di cibi e concentrati sulla tua sensazione gustativa.

2) Pratica di meditazione. La pratica della meditazione quotidiana richiede poco tempo e può aiutare ad alleviare la pressione sul cervello, sul corpo e sull'anima. È un ottimo modo per mantenere il flusso energetico del tuo corpo regolato e, se fatto correttamente, sarai rivitalizzato e rilassato.

3) Ricorda le tue opinioni spirituali. Se hai bisogno di usare la tua opzione di fede per la difesa, sentiti libero di pregare. Prima di iniziare questo percorso di consapevolezza spirituale, è difficile per alcuni abbandonare l'enfasi sulla religione. La maggior parte era precondizionata a "non andarci" dalla dottrina religiosa. C'è un modo in entrambi per cercare l'equilibrio. Se scegli, e quando scegli, decidi tu come procedere con fede.

4) Credi in te stesso. Comprendi che in questo mondo siamo tutti collegati come uno. Costruisci muri che bloccano la tua coscienza rimanendo separati, limitando così la tua capacità di vedere oltre i tuoi pensieri. Apriti spiritualmente e apri le finestre su uno spettro più ampio della realtà della tua vita. Acquisendo una sensibilità ricettiva nell'esperienza fisica, ti avvicinerai alla capacità di sviluppare le tue capacità psichiche.

5) Ricorda le persone. Guardare le persone è una carta di intrattenimento gratuita, quindi dovrebbe essere semplice. Trova il centro commerciale o la panchina del parco perfetto e guarda le persone che passano. Siamo forme così diverse del corpo, degli occhi, dei vestiti, ecc. Controllali ... Come comunicano tra loro? Cosa ti dice di loro il linguaggio del corpo "dentro" ... ecc.? Non è meraviglioso quanto sia speciale quella persona? Seleziona qualcuno che ti interessa, qualcuno diverso dalla folla. Potrebbero essere seduti nelle vicinanze. Cercali senza essere troppo evidente. Prova a leggere la tua parola. Questa è una pratica utile nelle persone che leggono all'esterno ...

6) Osserva la fauna selvatica. Esci e goditi la fauna selvatica. Guarda uno stormo di uccelli. Guarda come comunicano tra loro e vedi quanto sono aggressivi alcuni e passivi altri. È la legge della natura. Tra le altre specie di ricerca. Chipmunks, scoiattoli e api. Renditi consapevole di come tutta la natura è collegata agli umani dalle più piccole formiche, ecc. La relazione con tutti gli esseri viventi ti aiuterà a far crescere la comprensione su questo sentiero spirituale. Esercitati a leggere altre persone dopo aver stabilito il tuo risveglio spirituale. Siediti in silenzio con i tuoi amici e provalo. Puoi raccogliere frammenti dalla loro situazione nella vita. Alla fine, devi scoprire quali aspetti dei tuoi istinti sono più prevalenti. Forse ascolterai la musica che gli piace oa cui sono stati esposti ultimamente, forse sentirai l'odore di un'atmosfera particolare a cui sono vicini nella vita di tutti i giorni, assaggerai qualcosa che hanno consumato di recente o lo farai raccogliere le loro emozioni o circostanze da coloro che li circondano. Non hai molta familiarità con questo test quando ti senti a tuo agio con gli altri. Potresti essere scioccato da quanto sei arrivato lontano nel migliorare i tuoi sensi intuitivi.

Imparare ad attivare il tuo occhio interiore

La maggior parte dei miei follower, abbonati e clienti privati mi parlerà sempre di come imparare a diventare un sensitivo.

È uno dei miei argomenti preferiti ... E per insegnare anche una delle mie materie preferite!

Certamente ... leggerai alcune persone che non sono d'accordo con i miei metodi e penserai che le capacità psichiche dovrebbero essere avvolte nel segreto e nelle chiare tecniche di manifestazione che condivido apertamente ... Il pubblico in generale non dovrebbe essere discusso affatto .

Il fatto è che penso che sia completamente pazzo. Siamo tutti nati con la stessa anima della stessa dimensione ... Quindi la nostra vita sperimenta il karma che decide quanto bene viene espressa ed esplorata la nostra capacità spirituale naturale ed eterna.

Voglio mostrarvi uno dei modi PIÙ FACILI per imparare a "leggere la mente" e per sviluppare incredibili capacità intuitive in modo efficace, facile ed etico. Nel modo più premuroso e compassionevole, puoi usare questo approccio per iniziare a vedere e sperimentare le emozioni, i sentimenti e le esperienze degli altri, ed è estremamente facile da imparare.

È un'idea semplice.

L'empatia è il vero segreto della creazione psichica. Più empatia hai con gli altri, più costruisci una connessione intensa ed emotiva. Più sei legato a qualcuno, più è facile condividere energia e informazioni con loro in modo tale da far passare il linguaggio ei segnali di contatto di base.

L'empatia riguarda il mantenimento di una relazione emotiva con gli altri che riguarda l'empatia, il calore, la cura e la compassione.

In realtà, è ... A volte proprio per questo scopo, puoi sentire sensitivi, medium e persone dalla vista chiara di ogni tipo CHIAMATE "empatici".

Sentirsi empatici significa essere compassionevoli e gentili ed essere sinceramente interessati al benessere e alla salute degli altri. QUESTA è la chiave per tutti i tipi di risvegli spirituali epici, e tutto ciò che devi fare è essere in grado di entrare in empatia profondamente con la sofferenza degli altri per innescare questo gene spirituale.

Ecco un esercizio molto semplice che amo per leggere direttamente la mente. (Lettura etica della mente: sto pensando di percepire, sentire e comunicare con il vero sé spirituale in un altro e avere uno scambio emotivo in cui la conoscenza è facile da vedere) L'esercizio è derivato dalla pratica dello yoga RAJA, un metodo di meditazione si crede spesso che conduca direttamente ai poteri psichici. Ciò che rende speciale il RAJA yoga è che viene spesso insegnato e praticato per le ragioni esatte sopra come meditazione OCCHI APERTI.

Gli yogi di Raja ci dicono che ...

Viviamo le nostre vite REALI con gli occhi aperti, e con gli occhi aperti, interagiamo con gli altri nel mondo, perché dovremmo imparare a meditare con gli occhi chiusi ... Se NON è così che esistiamo nel mondo fisico?

Ecco come lo faccio:

1-Scegli un mantra. Può essere qualcosa di importante per te spiritualmente. Sto dicendo tranquillamente quattro semplici parole nella mia testa mentre eseguo questo esercizio. Per essere efficace, puoi scegliere qualsiasi mantra che sia importante per te, non deve essere un detto o una scrittura specifica.

2-Tieni gli occhi aperti mentre ripeti silenziosamente il mantra (anche se può essere se preferisci).

3 – Quando ripeti silenziosamente il mantra con gli occhi aperti, inizia a guardare lo spazio sacro tra le sopracciglia. Aggiungi al piccolo punto tra le sopracciglia tutta la forza della tua attenzione. Immagina la stanza che si apre in ogni momento come un glorioso portale nel mondo invisibile che ci circonda.

Guarda la luce nella stanza. (Nota: questo è il luogo sacro che la maggior parte delle religioni e delle tradizioni di saggezza ci insegnano nel centro spirituale del vero sé, dove entra il divino e dove ci sono illuminazione e risveglio)

4-Continua a vedere la luce in questa stanza. Concentrati ... Ma non essere stressato o stressato ... Immagina solo la luce che fluisce in quel punto e riempi la tua mente di una luce secca, invitante, brillante, bella e felice.

5 – Continua a concentrarti. Continua a ripetere il mantra.

6 –20 minuti è il momento perfetto per i principianti per esercitarsi. Ti incoraggio a fare questa prima cosa al mattino, o prima della scuola, o ovunque tu vada nel mondo.

7 – In primo luogo, proverai a comunicare con qualcuno che già conosci psicologicamente ed energeticamente. (È sempre bene iniziare con qualcuno che conosci, che ti piace o con cui hai un tipo di relazione confortevole, poiché molto probabilmente hai una relazione karmica stabilita con quella persona o un certo livello di fiducia e relazione che renderà il processo un po 'più facile)

8 - Concentrati sul punto tra le sopracciglia quando le vedi. Vedi se riesci a dar loro "splendore" in silenzio quando cerchi di connettersi con amore e cura.

9 - Sembra stupido ... Ma se puoi, e non sembra strano, sorridi con qualcuno che conosci e ti piace mentre fai questo esercizio.

10 – Guarda il sole adesso.

Puoi vedere che?

Lo senti così?

Cerca di proiettare la tua luce nel loro spazio sacro (il punto tra le sopracciglia) mentre cerchi anche di diventare una fonte per l'energia che inconsciamente emanano.

Quando inizierai a farlo bene, e succederà VERAMENTE ... lo saprai. La maggior parte delle persone inizia a vedere un'aura o anche una luce angolare brillante come un alone intorno alle persone con cui hai un gruppo molto energico. (Altri registrano molti incontri spiritualmente trasformativi interessanti e innovativi ben oltre la portata di questa breve istruzione :-) RAJA Yogi e meditatori ti informeranno che questa relazione emotiva è la vera danza del divino ... E il modo più semplice per entrare in uno spazio di mente condivisa dove la conoscenza, l'intuizione e la consapevolezza sono un chiaro flusso di intuizione e illuminazione.

CAPITOLO NOVE

L'intuitivo, psichico dei bambini

Siete ragazzi con abilità "speciali"? Se sei nuovo al concetto di bambini sensibili o bambini indaco, potresti aver bisogno di conoscere la differenza tra emotivo, mentale e medianità.

La maggior parte dei bambini ora viene al mondo con un intenso senso di consapevolezza. Non solo cose fisiche, ma cose spirituali. Con questo, voglio dire, attraverso i loro occhi spirituali i bambini vedono. Attraverso i loro sensi spirituali, sentono; attraverso gli occhi spirituali, anche loro ascoltano.

Capisco che non abbia sempre senso per alcuni di voi. Ma quando sai che gli umani non sono solo esseri fisici ma hanno coscienza e spirito, puoi anche riconoscere che su quelle altre dimensioni ci sono credenze. C'è anche la conoscenza della mente e dello spirito.

Hai mai guardato un oratore di una conferenza o una presentazione? Normalmente vedi solo la persona: il corpo fisico di chi parla. Vedi i vestiti che indossa, il modo in cui si tiene la testa, i movimenti ei gesti che indossa mentre parla. Questo è naturale. Non lo sogniamo. Siamo diventati così abituati a vedere solo con occhi fisici, ci siamo rifiutati di vedere in qualsiasi altro modo.

Ma a volte, se sei concentrato su ciò che sta dicendo e hai un forte senso di connessione con il suo messaggio, lo stai guardando. L'attenzione si sposta sul testo, quindi il recettore chiave nel tuo cervello. I tuoi occhi si stanno spostando in una coscienza separata e più leggera. Sei aperto a chi pensa alla pienezza. Tutt'intorno a lui inizia a risplendere un alone. Se c'è una tenda solida o un drappo colorato dietro, è più facile da vedere. Questa è l'aura, ovviamente. È sempre stato lì. Ma puoi esserne sicuro solo ora.

Un altro esempio: sei mai andato nella stanza di una grande gente? Li vedi tutti. Ma pensi anche che qualcosa non va. Non sai cosa sia, ma non ti sembra giusto. Scopri che ci sono stati problemi quando decidi di andartene. La tua conoscenza di questa sensazione ti ha tenuto fuori dai guai.

I bambini vedono, ascoltano e sperimentano tutti i tipi di cose la maggior parte del tempo. Non è solo perché l'hai avuto una volta ogni tanto. Siamo continuamente sintonizzati sulla frequenza più alta.

Allora cosa significa essere intuitivi? Psichico? Mediumistico, soprattutto per quanto riguarda i bambini? È possibile combinare tutti questi talenti in una categoria generale: essere sensitivi. Mentre psichico significa una cosa specifica, è usato per definire tutte le capacità della metafisica. Permettetemi di condividere alcune cose da cercare in linea con queste diverse abilità.

Intuitivo: è essere intuitivo imparare qualcosa senza la consapevolezza esterna di esso. Essere intuitivi è un modo sottile per toccare involontariamente i campi energetici per apprendere la conoscenza e capire le cose intorno a te. È così sottile che normalmente lo spieghiamo. Abbiamo tutti quel potere. Ma tutto il tempo i nostri figli sono completamente connessi a questa capacità.

I loro ragazzi, collegati con un'intelligenza superiore, spesso trasmettono le loro esperienze. Non dobbiamo organizzare i loro pensieri, li otteniamo solo. A volte associare ciò che sta accadendo al bambino diventa difficile se non sai qual è l'istinto nella tua vita.

Psichico: la fase successiva della creazione oltre l'istinto è l'abilità psichica. È una comprensione della conoscenza innata e la volontà di lavorare ulteriormente con essa. Devi ricordare che lo stai usando. Le onde tridimensionali sono incorporate nel piano terrestre e sono facilmente accessibili con mezzi spirituali. Se implementato, può essere rinforzato nel tempo.

I sensitivi hanno accesso all'energia magnetica dai campi di energia umana e non umana, nota anche come aura. Rilevando o vedendo i modelli energetici nell'ambiente, interagiscono, conoscendo tutto ciò che accade nella vita della persona. Ci sono energie di vita passate e possibilità future che vengono introdotte dallo scopo e dallo scopo fissato nei regni superiori.

Quando dimostrato con intuizione, tutte le persone hanno un certo grado di abilità psichiche. Altri lo sanno e altri no.

Ti capita mai di rispondere al telefono chiedendoti chi sta chiamando (se non stai guardando il tuo ID chiamante)? I tuoi sogni diventano realtà, a volte anche?

Ti sei mai sentito come se qualcuno al supermercato ti stesse fissando e quando ti volti, una persona ti guarda lungo il corridoio? Questi sono esempi di abilità psichiche. È solo capire o pensare qualcosa senza averne altra consapevolezza o essere in grado di spiegare oggettivamente perché lo sai.

Il mezzo si occupa delle vibrazioni energetiche di una persona o di un luogo. Interagisce con le onde più lente delle frequenze terrene. I sensitivi sono in contatto con le vibrazioni terrene delle persone viventi, specialmente quelle di amici intimi o parenti. Ciò implica anche diventare consapevoli delle forze spirituali che sono state imprigionate e risiedono nel regno astrale più vicino a noi come esseri tridimensionali.

I bambini possono vedere e identificare entità inferiori che non sono riuscite ad avanzare nel regno degli spiriti nel loro sviluppo. Quando pensiamo di poterli vedere, ad alcune di queste persone piace interagire con noi. Un bambino dovrebbe capire che può rifiutarsi di interagire con quell'entità e chiederle di andarsene.

Un bambino imparerà anche una conoscenza affascinante degli eventi nel mondo e tu, essendo intuitivo. Non capisce quanto possa essere invadente la tua vibrazione. Questo è quando il bambino ha bisogno di conoscere i confini personali, non solo per se stesso, ma per l'integrità degli altri.

Medianità: un medium ha a che fare con il potere dello spirito o una frequenza più leggera del piano terrestre invece che essere psichico e interagisce con lo spirito, tipicamente con persone care che sono morte, guide spirituali o esseri superiori. I sensitivi non sono sempre media, ma anche i media psichici possono essere psichici.

La medianità è consapevole e accetta i messaggi dalle onde degli esseri spirituali. È il contatto di una persona amata morta tramite un intermediario. Quindi l'informazione viene data a coloro che si lamentano della perdita.

Lo scopo principale è quello di fornire riconoscimento dopo la morte fisica della vita continua e inviare amore e incoraggiamento.

La connessione con i sogni, la creatività e il risveglio spirituale è resa dalla costruzione di questo ponte. Ti aiuta a migliorare il tuo percorso spirituale. Ti aiuta a essere responsabile dell'onestà nelle tue relazioni di contatto.

L'associazione con i regni superiori fornisce anche una solida base per comunicare con esseri vibratori più fini e istruttori spirituali. Le energie di livello inferiore non saranno attratte da te poiché la tua relazione con le vibrazioni più elevate è stata creata.

Alcune spiegazioni per la comunicazione aperta con gli esseri spirituali viventi servono solo a fornire prove che coloro che sono ancora nel corpo accettano. Producono comportamenti esterni percepiti esternamente dagli esseri umani.

Tali eventi sono spesso considerati attività paranormali. Si manifestano per essere definiti in forma fisica. Solo perché il bambino vede e interagisce con gli spiriti, questo non significa che il bambino sia un medium. Significa solo che ha abitudini di stampa. Tali abilità devono essere sviluppate, apprese e guidate, comprese e utilizzate adeguatamente.

La maggior parte dei bambini piccoli che conoscono gli spiriti li vedono continuamente e possono esserne confusi. D'altra parte, la maggior parte dei medium professionali entra nel mondo degli spiriti allo scopo in momenti specifici. Quando richiesto, il bambino può imparare ad aprirsi e a chiudere le proprie capacità.

Ci sono molte variazioni tra i genitori che non capiscono cosa sta succedendo e i loro figli che non sanno come descriverlo. Migliore è per tutti gli interessati, più puoi leggere, studiare e sfidare i tuoi figli. Per favore ama i tuoi figli e fagli sapere che sei lì per loro.

Sviluppa abilità psichiche tramite la meditazione

La strada per imparare a coltivare le capacità psichiche può essere lunga, ma per accelerare il processo ci sono diverse cose che puoi fare. Questo capitolo esplora quello che potrebbe essere il modo migliore per accelerare il ciclo, il rilassamento.

Ci sono molti diversi programmi di apprendimento su come meditare. Possiamo essere divisi in due forme, passiva e attiva, per la maggior parte. Tu (o qualcuno che ti dirige) controlli il flusso di pensieri e idee attraverso la meditazione costruttiva dirigendo delicatamente la tua mente lungo il percorso che vuoi prendere.

D'altra parte, la negoziazione passiva è una forma più libera ed è probabilmente la più difficile da fare per la maggior parte delle persone. Le menti umane sono state programmate per pensare, a loro piace mantenere il controllo, ed è molto più facile per la maggior parte delle persone fermarsi ad ascoltare piuttosto che cercare di essere un partecipante attivo.

Tuttavia, quando ti fermi e ci pensi, devi essere in grado di ricevere informazioni per migliorare le capacità psichiche. I dettagli possono venire attraverso il pensiero, il suono, la vista o il sentimento, ma se non ti concentri su nient'altro, sei migliore in tutte queste cose. Prendendoci il tempo necessario per impedire al cervello di concentrarsi su tutte le cose che accadono intorno a noi e concentrandoci sulle forze minime che fluiscono attraverso e intorno a noi, inizieremo a sviluppare abilità psichiche più velocemente di quanto si sviluppano da sole.

Molte persone notano raramente la moltitudine di suoni che si verificano quasi costantemente intorno a noi. Le nostre menti sono troppo occupate a pensare a cosa mangiare per cena ea prepararci per un grande appuntamento e non stiamo mai prestando attenzione al fatto che puoi sentire l'aria, anche se è solo una leggera brezza o puoi vedere il vento quando pensi che la tua vita stia fluendo.

Puoi sentire il battito del mondo, il ritmo stesso dell'universo mentre passa attraverso e intorno a te, quando ti fermi e ascolti, permettendo alla tua mente di diventare calma. Suona come una singola nota suonata su un'arpa angelica per me e ha permesso di vibrare fino alla fine del tempo. Alcuni dei miei ex studenti hanno detto che suona come un messaggio degli dei, che trasporta una singola nota in tutto l'universo. Altri in sottofondo avvertono un ritmo forte. Un rumore simile a un tamburo che fa venire voglia di ballare.

Se impedisci alla tua mente di saltare da un pensiero all'altro e incoraggi il tuo cuore, corpo e anima a raggiungere e avvolgere le tue braccia attorno alla forza vitale dell'universo, cosa senti?

Trova un posto comodo in cui stare per un po 'per provarlo. Preferisco un posto tranquillo, ma se vivi in una grande città rumorosa, trova il posto più tranquillo che puoi trovare e passa un po 'di tempo a cercare e far sentire il tuo corpo tra i suoni della città intorno a te.

Che tu scelga di sederti, stare in piedi o sdraiarti, non importa fintanto che sei a tuo agio. Sì, la maggior parte delle persone gode di una passeggiata rilassante mentre consente ai propri sensi di aprirsi al mondo. Non posso dirti come canalizzare la forza vitale passo dopo passo, perché come ti senti è speciale per te. Alcuni lo percepiranno, altri lo sentiranno sui loro corpi e altri lo vedranno in una calda giornata estiva che scorre nell'aria come lanugine di tarassaco.

Consenti a te stesso in qualunque modo ti sembra giusto di comunicare con esso. Se ti senti spinto a concentrarti maggiormente su un singolo contesto, fallo. Puoi sentire un suono, ad esempio, e non sai cosa sia. Consenti ai sensi di risalire al suono alla sua fonte invece di scrollarselo di dosso e dimenticarlo. Le orecchie potrebbero non sentire il suono, ma i tuoi sensi intuitivi potrebbero sentirlo e tracciarlo lungo un flusso come un nastro di luce. Era un uccello che non hai mai visto prima? Erano i due rami di un albero che si sfregavano delicatamente nell'aria? Scoprirai alcune cose meravigliose proprio nel tuo quartiere mentre i tuoi sensi si risvegliano.

Per permettere che queste cose accadano, dedica del tempo. Goditi l'esperienza e sviluppa il desiderio di imparare di più, vedere di più, sentire di più, ascoltare di più e vedere le tue capacità psichiche iniziare a rafforzarsi. A volte la strada per sviluppare le capacità psichiche è lunga, ma se ti prendi il tempo per goderti l'esperienza, ti darà un senso di pace e soddisfazione come non l'hai mai provato prima, e se sei fortunato i tuoi talenti psichici cresceranno durante la fase.

Empowerment Through Change

Cosa significa empowerment? È lo stesso del potere dell'individuo? O è solo un atteggiamento che assumi di tanto in tanto come parte di una qualche forma del processo di sviluppo personale? Come può esserci apprezzamento per l'empowerment? C'è un mezzo per misurarlo? In realtà, cercare di definirlo sembra un po 'complicato.

Ok, sappiamo che attraverso la valutazione si stanno compiendo e confermando progressi. A meno che non possa essere provato, qualcosa non può essere accettato come verità. Appena sufficiente. Se qualcosa è difficile da misurare, come si può capire che c'è stato davvero un miglioramento? Può essere importante evitare di pensare all'empowerment come a una parola "in voga" che viene usata per suggerire una qualche forma di potere personale per migliorare le tue capacità.

La parola "responsabilizzazione" ha la parola "potere". Pertanto, cercare l'empowerment significa che una persona deve avere la capacità, la volontà e il desiderio di cambiare qualcosa di positivo per ottenere più potere. Quindi, se succede, non puoi diventare motivato se non puoi cambiare. Pertanto, per me, la motivazione consiste nell'esercitare il tuo libero arbitrio e apportare uno o più cambiamenti positivi nella vita. Non si tratta di prendere il potere di altre persone.

Personalmente, quando si considera il senso di uguaglianza, penso che questo segna spesso la differenza fondamentale tra uomini e donne.

Penso che sia ragionevole presumere che la relazione tra mente e corpo sia ormai nota. Mente e corpo sono meccanismi diversi, funzionano indipendentemente e possono essere visti come due entità separate, ma formano una struttura integrata. La tua mente sta influenzando il tuo corpo e la tua mente sta manipolando il tuo corpo. Va tutto bene, ma come sappiamo che è vero?

Si può confermare che il cervello influisce direttamente sul corpo. L'uso comune dei placebo ne è un semplice esempio. Pensa di essere guarito e che il cervello stia rispondendo e dando al corpo la buona notizia. Il recupero sta continuando. Oggi, in questa sana e stimolante relazione a due vie, il corpo gioca ancora un ruolo di primo piano e fondamentale. Il corpo produce cortisolo, l'ormone dello stress, nel momento in cui ti senti stressato. È possibile misurare e provare questa risposta. È necessario controllare la produzione di cortisolo per evitare futuri problemi medici. Se hai un eccesso di cortisolo nel tuo corpo, sarai stressato nei pensieri, nei sentimenti e nel comportamento.

Se aggiungi anche i tuoi pensieri, atteggiamenti e comportamenti al mix di mente e corpo, otterrai un'immagine chiara di ciò che sta accadendo al corpo neurologicamente, psicologicamente e fisiologicamente. Questa miscela genera le tue azioni che derivano la tua performance. Quindi, genera i risultati quando pensi, senti e agisci. Ed è una scelta personale.

Sentirsi motivati ed esercitare il potere personale è probabilmente più facile per gli uomini che per le donne. Ciò è attribuito in tutti i tipi di aree al pregiudizio contro le donne. Tuttavia, l'emancipazione delle donne è tipicamente la stessa cosa: capire i limiti, decidere di essere autosufficienti e assumere il controllo.

In realtà, ci rendiamo anche conto del cambiamento persistente e inevitabile. Quando sappiamo di essere liberi di apprendere un numero qualsiasi di processi per costruire il cambiamento di cui abbiamo bisogno, ci dà la possibilità di diventare motivati. Possiamo cambiare quasi tutto ciò che vogliamo, e in qualsiasi momento, se prendiamo la decisione e prendiamo sul serio le tecniche di cambiamento. È la motivazione per fare queste scelte positive e per agire attraverso di esse. Il libero arbitrio può fare miracoli ed essere in uno stato guidato.

L'accettazione di aree della nostra vita che necessitano di miglioramento e l'adozione di misure per affrontare queste aree contribuisce direttamente all'empowerment. Forse si riduce a come regoliamo il modo in cui i nostri pensieri e sentimenti vengono interpretati perché questi atti influenzano profondamente il modo in cui scegliamo di comportarci.

Empowerment significa accettare di avere il controllo della tua vita. I tuoi sentimenti, convinzioni e valori sono i motori che decidono come pensi, senti e agisci.

Dobbiamo incoraggiare le persone ad assumersi la piena responsabilità delle scelte che fanno se si vuole dare potere alle persone. Può essere profondamente soddisfacente ispirare le persone in questo modo. Abbiamo la libertà di scelta e per conoscere le gioie della libertà dobbiamo metterla in pratica.

Un semplice passaggio che potresti fare è fare una sorta di inventario delle tue abitudini. Annota le tue buone abitudini indesiderate. E prenditi il merito del tuo buon comportamento. Molto bene! Molto bene! Ora scegli uno degli schemi indesiderati e uccidilo o sostituiscilo. Ciò si tradurrà in prosperità a tempo debito. Com'è possibile?.

Pensieri sull'empowerment

Le persone hanno il potere di prendere decisioni che influenzano il loro lavoro con interferenze minime e ripensamenti da parte degli altri se gli vengono date autorità e responsabilità.

È abusato e sotto potenziamento? parola praticata. Mettiamo le loro menti al lavoro se le persone sono motivate. Si impegnano a prendere decisioni che influenzano la loro parte aziendale. Si assumono la responsabilità delle loro azioni. Lavorano lontano dai piccoli oneri amministrativi che riducono l'interesse e fanno perdere tempo. Seguendo i valori di qualità e servizio, aggiungono valore all'azienda. Stiamo cercando modi per fare la differenza.

Tutte le aziende hanno bisogno di lavoratori della conoscenza: uomini e donne la cui principale risorsa è la capacità di pensare e agire in base a ciò che sanno. Per risolvere i problemi e rispondere alle opportunità, i programmatori di computer, gli analisti di processo, i contabili, gli avvocati, i team di vendita, i manager e persino i lavoratori in fabbrica devono usare il loro miglior giudizio.

Il servizio clienti di Nordstrom è leggendario perché consente e si aspetta che i dipendenti prendano decisioni che renderanno felici i clienti. Per illustrare questo punto, un vicino negozio Nordstrom offre ai nuovi dipendenti un manuale per i dipendenti di una pagina. Questo dice: usa sempre il tuo miglior giudizio.

Come funziona l'empowerment In Caught in the Middle (Produttività, 1992), suggerisco che la maggior parte delle persone voglia alcune semplici cose legate al lavoro: scopo, rendimento, sfida e opportunità di apprendere, apprezzamento e riconoscimento, autonomia sulla propria parte di lavoro, associazione e sentendosi parte di un gruppo più ampio.

Questi sei elementi costituiscono la base di tutti i buoni sforzi per l'empowerment. Rimuovi qualcuno di loro e indebolisci la dedizione della persona al proprio lavoro. Per fortuna, ciò che è bene per l'individuo è anche un bene per l'azienda in termini di motivazione.

Far funzionare l'empowerment Costruisci sulle sei cose di base di cui le persone hanno bisogno (queste sono menzionate sopra) Usa questi elementi come base per tutte le iniziative di rafforzamento dell'empowerment. Ricorda, tuttavia, quanto segue: vista e direzione semplici. La leadership delle aziende dovrebbe capire perché vogliono l'empowerment.

Cosa vuoi farci?

Che sembra forza qui?

Quanto sei impegnato nella realizzazione dell'empowerment?

L'empowerment è necessario o sarebbe semplicemente bello avere qualcosa?

Esamina le attività dell'azienda.

Politiche. Ciò che viene ricompensato è finito. Ciò che viene punito viene fermato. Le politiche e le procedure aziendali come la valutazione dei risultati e i cambiamenti nella qualità mostrano alle persone ciò che conta per l'alta dirigenza. Ad esempio, quando a una persona viene detto di lavorare insieme ma le loro valutazioni delle prestazioni le collocano in classifiche di valutazione forzata l'una contro l'altra, le persone si proteggeranno? interessi. Se stai spingendo la croce? Lavoro di squadra funzionale, tuttavia le revisioni delle prestazioni considerano solo il lavoro dipartimentale, la collaborazione interdipartimentale ne risentirà.

Regole di procedura non scritte. Quelle aspettative dicono alle persone come viene giocato il gioco. Le persone apprendono il valore di queste regole non scritte come qualsiasi politica scritta. Un direttore, ad esempio, ordinerà ai lavoratori di dirgli la verità in ogni momento, quindi continuerà a disciplinare il messaggero che porta la cattiva notizia.

Struttura. Per prendere in prestito una frase dal libro di David Hanna, "Le organizzazioni sono ben progettate per ottenere i risultati che ricevono". NUMMI è uno stabilimento di produzione automobilistica di grande successo basato sull'elevata dedizione e abilità dei dipendenti. Questo ha sostituito un orribile stabilimento GM in cui l'assenteismo era del 25 percento l'anno in cui era chiuso e dove le prestazioni erano uno scherzo. È interessante notare che impiegava molti degli stessi dipendenti apparentemente immotivati del vecchio stabilimento quando NUMMI ha aperto. L'unica differenza principale era il modo in cui veniva gestito tra NUMMI e il suo predecessore. Per risolvere i problemi di qualità, le persone erano libere di evitare la catena di montaggio. Sono incoraggiati a imparare molte attività diverse per aggiungere valore al processo di assemblaggio. Insomma, sono stati motivati.

Perché è così difficile da ottenere?

Una volta Tom Peters ha detto: "Siamo solo nella fase avanzata del servizio verbale". Sono d'accordo. Spesso hanno paura di fidarsi degli altri per svolgere il lavoro senza scrutinio. Non ho mai incontrato nessuno che affermasse di essere migliorato da un processo completo di valutazione delle prestazioni. Tuttavia, la maggior parte degli amministratori presume che essere utilizzato per ispirare gli altri sia uno strumento essenziale. (Se solo quelle persone fossero degne di fiducia come noi). Gli occhi attenti davano origine alla dipendenza. Quando una persona cerca di accontentare papà e mamma, non si assume i rischi e gli sforzi necessari per aiutare un'azienda competitiva ad avere successo. Le persone aspettano di imparare cosa fare. Come diceva il cartello nell'ufficio di un funzionario francese: "Non fare mai niente per la prima volta". Se altri cinque stanno per controllare, piegare, mandare in rotazione e mutilare il tuo lavoro prima che venga accettato, perché ti preoccupi di fare del tuo meglio?

La nostra visione delle organizzazioni si basa sulla catena di comando e sulla gerarchia. Quelli sopra di te prendono le decisioni, vengono eseguite dalle persone sotto. Questo modello è saldamente ancorato. Credo che a volte sia scritto nel nostro DNA. Solo quando vediamo che opera contro l'iniziativa e la motivazione può cambiare, e quando possiamo fare un passo indietro e dare uno sguardo freddo e sobrio a come le nostre azioni possono costruire la dipendenza ei risultati mediocri che disprezziamo.

C'è speranza che sia in corso una rivoluzione aziendale. A partire dal libro fondamentale di Peters e Waterman, Alla ricerca della qualità e dalla nostra scoperta di W. all'inizio degli anni '80, Edwards Deming ha sperimentato modi per aumentare la partecipazione dei lavoratori. Anche con ideali di empowerment, il governo federale sta cercando di reinventarsi. Molte organizzazioni prosperano, alcune lottano, ma da tutte possiamo imparare. Tali aziende e organizzazioni coraggiose hanno lezioni di vita che possono indicare la strada per nuovi modelli organizzativi che trattano le persone con dignità e rispetto e rappresentano gli interessi aziendali.

Ecco alcuni esempi di come gli altri usano gli ideali motivazionali.

Grandi aggiustamenti nel processo. Organizzazioni come Corning stanno avendo tutti (o almeno un campione rappresentativo di tutti i livelli organizzativi) in una stanza per riprogettare la propria parte di business. Poiché questo processo di pianificazione include coloro che hanno bisogno di attuare i cambiamenti, l'opposizione diminuisce e la dedizione aumenta, i tempi di pianificazione e implementazione si accorciano e l'affidabilità del progetto spesso supera di gran lunga quello che potrebbe essere stato generato da consulenti esterni o da un piccolo team.

Squadre interfunzionali. Organizzazioni come Conrail stanno mettendo insieme persone di talento dal centro dell'azienda e le stanno ispirando a risolvere le pressanti sfide del mercato. Questi gruppi sono più che task force: sono in grado di proporre e imporre riforme.

Esposizione dei dati. Diverse aziende stanno studiando come viene svolto il lavoro per ottimizzare il servizio clienti. Sviluppiamo nuove procedure per garantire un rapido accesso agli strumenti e alle informazioni necessarie alle persone più vicine al lavoro.

CAPITOLO DIECI

L'empowerment cambia la tua vita per sempre

Forse chiedi: "Cosa sono il potenziamento personale?" In definitiva, empowerment significa liberarti dai vincoli e vivere una vita di sofferenza e assumerti la piena responsabilità di tutto nella tua esistenza. Si tratta di non trovare scuse per cose nella tua vita che non vanno per il verso giusto e fare qualcosa per cambiarle! Si tratta di scelte; le scelte che fai su tutti gli aspetti della tua vita ogni giorno. Si tratta di avere il controllo di ciò che permetti nella tua vita; Con chi ti stai associando, cosa stai leggendo, cosa guardi in TV e film, chi sono i tuoi amici, che musica ascolti, cosa mangi, ecc. Perché il potere è così fondamentale per queste scelte? Sei letteralmente le tue opzioni.

Una definizione generale: l'empowerment è un meccanismo che aiuta gli individui a prendere il controllo della propria vita.

Empowerment significa quindi rendersi conto che ci sono opzioni in cui hai il diritto di essere la persona più sana e felice in cui puoi essere ora. Il passato è passato e non può essere cambiato, quindi l'enfasi è su ciò che puoi fare adesso. Quali decisioni sei ora in grado di prendere per motivarti. Otterrai un maggiore controllo sulla tua vita quando pratichi le tue decisioni e ti assumi responsabilità e azioni. Aveva un milione di bugie nella sua vita per tutti gli schifosi. Incolpava altre persone per la sua dipendenza da sigarette, droghe e alcol. Incolpava tutti di tutto perché questo mi aiutò a giustificare che nella sua mente andava bene. mi stava uccidendo lentamente per evitare di affrontare i suoi problemi, gli esatti problemi che generava attraverso le scelte che faceva. È un circolo vizioso, ma può cambiare attraverso l'empowerment!

Diamo un'occhiata a un elenco di parole chiave motivazionali:

Autocontrollo

Crescita personale

Pensiero positivo

Potere della mente

Auto-miglioramento

Crescita spirituale

Illuminismo

Responsabilità

Legge di Attrazione

Autoaccettazione

Autostima

Scoperta di se stessi

Auto-forza

Amore per se stessi

Autocontrollo

Scelta propria

La libertà

Il processo decisionale

Essere indipendenti

Risveglio

Scelta di abilità.

è sentirsi fuori di me. È lì che è andato storto e lo è stato anche per milioni di altri. Attivando questo potere dentro di noi, abbiamo la forza e il coraggio di fare scelte e agire su questioni che consideriamo significative. Questi problemi possono applicarsi a ogni area della nostra relazione di vita, economica, sociale, spirituale e fisica. È molto importante capire che l'empowerment è un processo multidimensionale che coinvolge tutti gli aspetti del nostro essere: psicologico, emotivo, fisico e spirituale, ed è necessario bilanciare ciascuno di questi campi.

Una persona impegnata nel life coaching, nello studio della guarigione energetica e negli esercizi mentali, che frequenta gruppi e seminari di auto-aiuto, corsi di studio a casa, lettura di libri, ecc. Può promuovere e incoraggiare il processo di motivazione da fonti esterne. Questi corsi devono istruirti e permetterti di fare queste cose per te stesso al termine del corso. Cerchi l'indipendenza, non la co-dipendenza all'interno del sistema, perché l'empowerment è un meccanismo che si evolve mentre lo attraversiamo. Dilettarsi nella motivazione è impossibile aspettarsi risultati che cambino la vita. Per la piena liberazione da tutto il dolore e la sofferenza, deve diventare una strada, una destinazione, uno stile di vita o uno stile di vita.

Ho una storia di vita reale sugli "stracci alla ricchezza". ha imparato a vincere la povertà, la dipendenza e la violenza per creare la vita che una volta sentivo era impossibile per me. è battere le probabilità perché si ha il coraggio di credere e ascoltare SOLO ME STESSO, che è la forza dentro! Pensi cosa ha fatto da quando ha scoperto la verità dell'autocontrollo e del potere? ora sono un uomo d'affari di successo, un autore pubblicato, un life coach globale, uno specialista nella guarigione energetica e nell'empowerment. "Abbandono scolastico, aggressioni sessuali e fisiche, droghe, droga, assistenza sociale" non è stato male per una volta? Questa è la forza! Si tratta di fare scelte che migliorano la qualità della vita.

Attraverso l'indipendenza viene la comprensione, e non significano la conoscenza dei fatti per esperienza, ma la capacità di percepire e apprezzare i fatti, di giudicare in modo corretto e di comportarsi correttamente in tutte le questioni legate alla vita. La saggezza è la capacità di interpretare la realtà e la capacità di utilizzare l'esperienza dei fatti nel miglior modo possibile.

Attraverso la saggezza derivano l'equilibrio e la forza del pensiero corretto, la gestione e la direzione delle emozioni e la prevenzione delle difficoltà derivanti dal pensiero sbagliato. Attraverso la saggezza, puoi scegliere i corsi giusti per le tue esigenze specifiche e guidarti in tutti i modi per garantire i migliori risultati.

L'effetto a catena è la magia del potenziamento. Con il potenziamento personale, puoi ispirare coloro che ti circondano a potenziare anche te stesso guidando con l'esempio! Non solo riesci a cambiare te stesso, ma contribuisci anche a cambiare la vita dei tuoi genitori, famiglia e amici. Hai il potere all'interno della tua comunità di spezzare la catena di privazioni, dipendenza, violenza e miseria. Mostrerai loro che dove una volta eri indifeso, assumendoti la piena responsabilità e l'azione sul tuo dominio, puoi ottenere il controllo totale sulla tua vita migliorando la tua situazione. Questo dirà loro che perché l'hai fatto, può essere fatto! Dai il buon esempio ei tuoi figli sanno e ripetono quello che dici loro. Considerali potenziati.

Empowerment, The Structured Discipline

Proprio come un processo in corso è un cambiamento istituzionale, così lo è l'empowerment. Per lavorare in modo efficace ed efficiente, fattori specifici si combinano per creare un'atmosfera motivata che deve essere in atto.

I leader dovrebbero riconoscere che nel contribuire o nel ritirare gli sforzi, i lavoratori hanno un'ampia gamma di flessibilità. L'empowerment mira a ispirare i lavoratori a dedicare il maggior impegno possibile al successo delle attività della loro unità e, in ultima analisi, dell'azienda.

Nel contesto della descrizione del lavoro e delle mansioni, la maggior parte dei lavoratori contribuirebbe il meno possibile. Ispirando i propri lavoratori, i leader hanno il potere di contribuire non solo a maggiori sforzi per adempiere alle proprie responsabilità, ma anche a più innovazioni, teorie e prospettive. Si traduce in un successo sostenibile e in migliori risultati per l'organizzazione quando strategie, innovazioni, principi ed esperienze collettive sono integrati in un ambiente stimolante.

I leader sono l'impulso principale all'interno della loro azienda per creare un ambiente stimolante. Sappiamo che quando un tale ambiente è costruito a tutti i livelli dell'azienda, si raggiunge la profondità dell'empowerment e che hanno il potere e l'autorità per rimuovere le barriere all'empowerment dei loro lavoratori. L'azienda acquisirà slancio in questo modo per farsi avanti ed evolversi nel suo complesso. Le variabili discusse di seguito aiutano quando vengono messe in atto per creare un ambiente stimolante.

I dipendenti capiscono cosa ci si aspetta da loro

I dipendenti devono essere incoraggiati a capire che la transizione verso un ambiente responsabilizzato è un cambiamento fondamentale per l'azienda. Non sono più accettati sforzi e sacrifici minimi, non come strategia punitiva, ma poiché i lavoratori riconoscono il loro ruolo nel successo dell'azienda e come gli sforzi individuali contribuiscono a tale successo. Tali cambiamenti sono spesso accettati con cinismo, che cambia quando i lavoratori vedono che un comportamento chiaro riflette le parole del capo.

I dipendenti devono riconoscere che decidere di impegnarsi più attivamente condividendo i loro pensieri, teorie e osservazioni non solo avvantaggia se stessi ma anche i loro colleghi e colleghi.

Gli obiettivi e le misurazioni vengono applicati in modo coerente

Un fattore critico della comunità motivata è la chiara implementazione di obiettivi, criteri e misurazioni. Ciò crea un'atmosfera di fiducia e integrità in tutta l'azienda quando viene introdotto, poiché i lavoratori sanno di essere tutti trattati in modo equo e coerente. Sappiamo cosa dovrebbero fare e come possono valutare tali sforzi. Conosci le conseguenze se non riesci a soddisfare quelle aspettative. Siamo anche consapevoli che saranno lodati e onorati se soddisfano i criteri.

Una volta che i lavoratori conoscono la loro organizzazione e le priorità dell'unità, gli obiettivi e gli obiettivi di prestazione attuali del loro team o gruppo di lavoro e i vincoli sulla loro autorità decisionale, hanno il potere di prendere decisioni chiare senza input dal manager.

Ai dipendenti vengono fornite le competenze e gli strumenti per lavorare in modo efficace

Dipendenti Fornito le competenze e gli strumenti per lavorare in modo efficiente più di un semplice termine, l'empowerment è un mezzo per attingere alle risorse umane di un'organizzazione. I dipendenti non possono operare in questo contesto senza prima essere formati secondo i principi di autonomia e lavoro di squadra; per funzionare in modo efficiente, è necessario fornire loro le competenze e gli strumenti. I leader riconoscono che si tratta di un processo che richiede tempo per implementare una cultura pienamente sviluppata e responsabilizzata. La formazione, la formazione, il monitoraggio e il miglioramento delle competenze e degli strumenti che promuovono il cambiamento organizzativo richiedono tempo.

Riconoscimento frequente e immediato dei contributi

Riconoscimento dei risultati Frequente e immediato è uno dei più forti motivatori del posto di lavoro. Questa idea fu compresa dagli studi Westinghouse degli anni '30 e concluse che i lavoratori sono più motivati dal riconoscimento personale che dal beneficio finanziario. Una cultura autorizzata dovrebbe fornire contributi subordinati regolarmente e immediatamente riconosciuti. Inoltre, i leader svolgono un ruolo importante in questo fattore critico: mentre tutti vogliono elogi per i loro principali risultati, il vero impatto è quando i leader compensano i lavoratori per i loro piccoli contributi. I leader cercano attivamente di sorprendere i lavoratori che fanno qualcosa di sbagliato in alcune attività e poi li ricompensano immediatamente. Gli impatti di tali sistemi hanno effetti drammatici sulla qualità dei lavoratori.

Dipendenti forniti feedback e comunicazione positivi

Un altro ruolo chiave per i leader in un'atmosfera di empowerment è quello di connettersi in modo efficace e fornire un feedback positivo ai dipendenti. Il leader promuove il progresso e la motivazione ispirando e assistendo la persona subordinata a raggiungere i propri obiettivi o obiettivi. Questo è contrario a un direttore o un capo che, se non riescono a svolgere, dirige e supervisiona i dipendenti. Analogamente ai due modelli, l'enfasi sugli atteggiamenti negativi e positivi è distinta.

Dipendenti e dirigenti che si comportano con disciplina

La fiducia non è una moda casuale della leadership, ma una disciplina formale all'interno dell'azienda. Ciò incoraggia i lavoratori a dedicare i loro sforzi alla loro capacità massima e quindi consente all'organizzazione di utilizzare una risorsa in gran parte non sfruttata. Poiché si tratta di un approccio sistematico, sia i manager che i lavoratori sono diretti a lavorare entro i parametri stabiliti dalle priorità, dagli obiettivi, dalle aspettative e dalle misurazioni dell'organizzazione. Le barriere e le restrizioni vengono eliminate, ma tutti i lavoratori continuano a lavorare per e verso gli interessi dell'intera azienda. Per mantenere la disciplina e responsabilizzare i lavoratori, vengono dati bonus e punizioni.

Empowerment at Work

La parola "responsabilizzare" è forte ed efficace. Questi sono spesso usati, altri dicono "abusati". Sono anche abusati. L'incomprensione più comune dell'idea di potenziamento, simile alla teoria della "motivazione", è che una persona può potenziare un'altra. Come uso il termine, l'empowerment è un processo interiore-esteriore, molto utile se accompagnato dal silenzio e dalla conoscenza della guida interiore. L'empowerment non è solo un altro modo di "fare" qualcosa, è uno stato che ti sostiene pienamente nel vivere la vita.

Individui responsabilizzati Gli individui responsabilizzati sono sani, ottimisti, consapevoli, vitali, compassionevoli e preparati. Quelli motivati non sono annacquati, confusi, ostili, divisivi o necessari. Molte persone motivate, ovviamente, hanno giorni o momenti di incertezza, rabbia o dubbio, ma l'espressione prevalente è quella della fiducia, della forza e della considerazione di sé e degli altri. L'empowerment può anche essere contestuale, il che significa che in una situazione puoi pensare ed essere potenziato, ma non in un'altra.

A molte persone piace essere in compagnia di coloro che sono sinceramente ispirati, ma ovviamente non tutti, perché l'energia dentro e intorno a loro è contagiosa e calmante. Le persone dotate di potere sono desiderose di ridere e godersi il momento in un modo che aiuta gli altri a trovare la propria forza. Quando le persone potenti fanno risplendere la loro luce, gli altri possono trovare la propria luce più facilmente. Spesso imita la condotta di persone dotate di potere, ma l'empowerment non è solo un insieme di azioni e comportamenti. Per un vero rafforzamento, gli atti associati alla saggezza e alla forza interiori sono essenziali. La coscienza illuminata non è il contrario, ma la radice del comportamento motivato. Poiché le persone potenziate sono alimentate dall'interno, portano con sé la loro energia.

Come ho detto in modo positivo sopra, lasciatemi chiarire qui cosa non fanno le persone con potere: le persone con potere non ottengono la loro energia da altre persone. Le persone autorizzate non colpiscono, non travolgono o calpestano i diritti degli altri, non fanno commenti offensivi, ignorano gli altri, usano un linguaggio negativo, controllano le riunioni o disturbano gli altri. I cittadini emancipati non stanno dando il loro potere agli altri, né stanno permettendo agli altri di prendere il loro potere (che in realtà è una variazione del "ridare potere".

Devi espellere credenze obsolete, forti vibrazioni, paure represse e risentimenti per essere motivato. Per essere motivato, devi sostituire coloro che danno potere a valori che ne impediscono il potere. Devi essere consapevole della direzione della tua attenzione, delle tue emozioni e dei tuoi sentimenti per essere motivato. Trova le tue aspettative, convinzioni, sentimenti, desideri, convinzioni e sentimenti degli altri da motivare. Inizia da dove sei adesso senza sentirti in errore o pensare di aver bisogno di essere "aggiustato" per avere potere. Organizzazioni empowered Le organizzazioni empowered sono costituite da persone empowered, sebbene non sia necessariamente vero che una comunità di persone empowered crea automaticamente un'organizzazione empowered. Aziende veramente motivate hanno superato il vecchio paradigma della rivalità sleale e dei valori piccoli e scarsi. Alla maggior parte delle persone, me compreso, piace vedere l'organizzazione potenziata evolversi e trasformarsi in un "nuovo paradigma". Le organizzazioni responsabilizzate si sono trasformate nel nuovo paradigma in modo da poter mostrare caratteristiche quali: interazione chiara e onesta, lavoro di squadra all'interno e tra le unità di lavoro (di solito chiamate squadre), responsabilità condivisa in tutti gli aspetti.

È probabile che gli individui nelle organizzazioni autorizzate parlino della "gioia" di lavorare e provino "amore" per i loro compagni di squadra, anche se tali parole potrebbero non essere articolate o dimostrano di incoraggiamento in tali termini.

Molte persone concordano con l'auspicabilità di principi quali "comunicazioni aperte", "collaborazione" e obiettivi "orientati al cliente". Stabilire delle aspettative, tuttavia, anche impedire che gli atti che portano a compimento questi principi siano incarnati. In molte organizzazioni prevale ancora la sfiducia, in particolare quelle che devono affrontare tentativi di ridimensionamento che sono stati o vengono condotti utilizzando metodi brutali. La convinzione che un'azienda sia in affari solo per guadagnare denaro mantiene le aziende bloccate in tendenze stagnanti.

Dove un individuo o un'organizzazione si trova in questo momento, è importante rispettare. Semplicemente non funziona spingere un nuovo modello su uno esistente. Dall'interno verso l'esterno, avviene un cambiamento duraturo. La struttura organizzativa del vecchio paradigma è lineare e retta: dall'alto verso il basso e dal basso verso l'alto. In molte aziende convenzionali, rompere la catena di comando è un reato, aumentando questo approccio lineare.

Il movimento lineare e verticale tende a cambiare in orizzontale o circolare quando le organizzazioni diminuiscono o alterano in altro modo la loro struttura. Il vecchio metodo di vedere ciò che quello al vertice dell'azienda ha bisogno di modifiche per guardarsi dentro per determinare con l'istinto cosa serve al bene supremo. Alcuni dei nomi popolari per le nuove organizzazioni associate a questa struttura orizzontale circolare interna sono: "gruppo", "cluster", "comunità di apprendimento", "cerchi" e "reti". Considero l '"appiattimento" delle organizzazioni affascinante e lungimirante con la mia finestra di pensiero sui campi energetici e l'interazione con i concetti energetici. Quando si verifica, l'appiattimento (eliminando i livelli di gestione e altri riallineamenti) potrebbe non sembrare molto buono, ma i risultati finali potrebbero essere estremamente positivi. Le nuove forme e abitudini di lavorare e lavorare insieme per fare affari si evolvono dal caos. La teoria del caos che è emersa negli ultimi anni ti aiuterà a capire questo processo di ricerca e costruzione di strutture di ogni tipo.

Chi è autorizzato?

Sei motivato, non per la tua amicizia con gli altri, per quello che sei.

L'empowerment viene dall'interno, non dall'esterno.

Questa energia viene utilizzata a beneficio di tutti, guidata da uno scopo elevato.

La concorrenza ti porta a credere che ci siano risorse limitate.

Sai che l'immaginazione è illimitata quando ti trasformi dentro, portando a risorse illimitate.

Giochi con una convinzione di potere limitato.

Con un potere illimitato sei autorizzato.

Sostieni qualcun altro e sii ispirato oggi.

Un atto del genere può aiutarti a trovare la tua forza.

Passi per l'empowerment

Possono assumere molte forme per responsabilizzare le persone. Nella maggior parte delle organizzazioni, è possibile intraprendere la maggior parte dei passaggi per iniziare a responsabilizzare le persone senza rischi finanziari per l'azienda.

Esistono abitudini motivanti che possono portare enormi quantità di energia e leva dalla più grande organizzazione di profitto alla più piccola società senza scopo di lucro.

Ecco dieci comportamenti motivati da comportamenti volti a responsabilizzare le persone.

1-Crea una possibilità di fiducia. La fiducia viene dalla performance. I risultati emergono da una combinazione di incentivi e azioni. È possibile stabilire il clima a tutti i tempi. Identificare le persone più affidabili, più forti. Lo stesso vale per gli inaffidabili.

2 – Includere il riconoscimento dell'impegno. La maggior parte dei manager non razionalizza questo affermando che l'individuo stava solo facendo il proprio lavoro. Domanda: Da quando un servizio viene spedito, senza errori, in tempo e solo su specifica del consumatore "fare il proprio lavoro?" E rinunciare a un fine settimana e un picnic in famiglia per riavere un programma? Oppure i doppi turni funzionano per correggere un errore del consumatore in un assemblaggio sensibile al tempo? Forse ti stai dirigendo verso un cantiere con un preavviso di 4 ore in un paese straniero per affrontare un cliente arrabbiato? Il riconoscimento è gratificante in ogni momento per un lavoro ben fatto.

3 – Attraverso le regole. È essenziale strutturare, senza dubbio. Ma le leggi non sono esplicite, ignorate o obsolete nella maggior parte delle organizzazioni. Le procedure offrono direzione e flessibilità e motivano le persone offrendo un percorso verso il successo. Perché questa ruota sprecava continuamente tempo e opportunità per reinventare cosa-facciamo-facciamo?

4 – Creare strategie concrete e includere persone che possono contribuire al sistema. Questo può essere complicato: scrivi cosa fare è molto più semplice. Eppure l'impegno dà potere alle persone e aggiunge così tanto alla definizione degli obiettivi. E gli obiettivi saranno più ostili nella maggior parte delle situazioni che se fossero stati appena annotati dall'allenatore. Le persone responsabilizzate lavorano in modo sempre più intelligente.

5 – Riconoscere la performance. Questo è unico, ma importante quanto ricordare l'impegno. Quando un obiettivo viene raggiunto, incoraggiare le persone coinvolte riconoscendo il raggiungimento dell'obiettivo a uscire e fare di più.

6-Creare confini di azione che consentano alcune minacce. Le organizzazioni contrarie alle minacce, per una buona ragione, non amano sentire parlare di "qualsiasi livello di rischio". Tutti vogliono che un commerciante di obbligazioni canaglia, un pubblico ministero non etico, un contabile ingannevole, un commerciante eccessivamente aggressivo venga insaccato e etichettato. Tuttavia, stabilire aspettative basate sul peggior scenario possibile limita l'iniziativa individuale che non può sopportare l'autonomia, per non parlare del fiorire.

7 –Utilizzare la probabilità come bonus alla realizzazione. Dovrebbe essere ancora fatto, ma è sorprendente quante aziende e individui non vedano le risorse come un bonus, ma come un rischio. In ogni azienda, i pessimisti hanno la loro posizione: forniscono importanti punti di controllo e sano scetticismo. Ma il futuro appartiene agli ottimisti, ai cercatori di prospettive.

8 – Chiedi cosa pensa la gente. E poi ascolta le tue risposte. Quando ho scritto dei termini più temuti nell'industria- "Cosa ne pensate?" Queste parole suonano come rinunciare al diritto di Dio di condurre ai responsabili di comando e controllo. La realtà è che queste parole permettono loro di guidare. E le loro persone sono motivate. È tempo di cambiare se i manager non possono vederlo.

9 – Non lasciare che i tuoi glutei ti indossino. Quante volte gli spigoli vivi delle persone sono stati identificati come "che devono solo arrotondare un po '?" Ma uno strumento smussato risulta in un arrotondamento eccessivo. All'interno del loro "universo" di persone, ogni regista o leader ha avuto molteplici esperienze che hanno il potenziale per ridurre la propria efficacia, rendendoli un'arma spuntata. Capi cattivi, modelli di ruolo e mentori cattivi o inesistenti, colleghi ingannevoli e doppi, circostanze sfavorevoli: hanno tutti la capacità di logorare una persona. Ecco perché è così critico e stimolante avere valori e aspirazioni positivi e ottimisti. Impediscono alle inevitabili esperienze spiacevoli di diventare il motore del comportamento.

10 – Scopri le varianti e promuovile. Nessun confronto, nessuna lettura. L'empowerment deriva da diverse prospettive e l'apprezzamento per quei punti di vista. Spesso si è tentati di scrollarsi di dosso l'opinione, l'argomento o il suggerimento dissenzienti, ma

consentire l'opportunità di includere le opinioni si traduce in una maggiore autonomia e in un processo decisionale più efficace.

Metti alla prova le tue azioni contro queste 10 misure. Quindi agisci per prendere le misure che hanno senso per la situazione delle persone intorno a te e la tua situazione. Il risultato di questi atti sarà una maggiore responsabilizzazione.

CPSIA information can be obtained
at www.ICGtesting.com
Printed in the USA
BVHW041411270421
605944BV00006B/1545